W9-AZZ-999

跨越设计界限
碰撞思想火花
阅读设计精神

图书在版编目(CIP)数据

设计的精神／香港设计中心，艺术与设计出版联盟编.
沈阳：辽宁科学技术出版社，2008.4
ISBN 978-7-5381-5381-1

Ⅰ.设… Ⅱ.①香…②艺… Ⅲ.设计学 Ⅳ.TB47

中国版本图书馆CIP数据核字(2008)第027116号

设计的精神

―

出版发行：辽宁科学技术出版社
　　　　　　地址：沈阳市和平区十一纬路25号　　邮编：110003
　　　　　　联系电话：024-23284360　　邮购热线：024-23284502　　www.lnkj.com.cn
　　　　　　艺术与设计出版联盟
　　　　　　地址：北京市西城区阜外大街34号　　邮编：100832
　　　　　　联系电话／邮购热线：010-68587268　　www.artdesign.org.cn
印 刷 者：北京华联印刷有限公司
经 销 者：各地新华书店
幅面尺寸：168 x 230 mm
印　　张：17.5
字　　数：285 千字
印　　数：1～5000
出版时间：2008年1月第一版，2008年4月第二版
印刷时间：2008年4月第二次印刷
责任编辑：陈慈良、钱　竹、胡小惟
编　　辑：朱　林、张晓华、张　佳
摄影编辑：那　磊
书籍设计：关云峰、王　江
责任校对：东　戈

―

定价：48.50 元

目录

Contents

香港，创意辐射之岛

/刘小康

刘小康先生是香港设计中心董事会主席，也是香港特别行政区著名设计师。

每年的香港设计营商周举行的时间，都是当地气候最宜人的时间。活动中，人们感受到了设计与生活的密切关系，看见了设计与商业结合的巨大潜力，听到了国际设计巨匠震撼人心的演讲和演示。

"香港设计营商周"的国际研讨会邀请的嘉宾都是国际最好的讲者，连续几年都是如此。有很多人做这件事情，也有很多观众参与。邀请的嘉宾都能准时参与，这本身就说明了品牌有很大的效应。"为亚洲设计"（Design for Asia）大奖邀请了很多名人作为评委。过去几年大家都看到评委、看到得奖的名单和报道，明白这个评奖和其他评奖是有所区别的，我们从纯粹的设计师角度去评一个奖，也希望设计师在思维和商业上的功能、他对亚洲生活的影响这个角度出发可以和其他评奖形成明显的差别。这些让外界知道我们在做其他人没有做过的事情。有了这两点作支撑，"香港设计营商周"的品牌效应就开始慢慢扩大了。

我想说明的一点是，"营商周"的奖项从本质上来说不是颁给设计师的，而是颁给品牌的。设计师当然也会得到奖励，但差别在于本质上。比如说我们为诚品书店颁奖，这个奖不是颁给设计师的，也不是给书店老板的，而是用奖项来鼓励品牌用设计用得好。获奖本身不是给设计师的荣誉，而是对于企业成功运用设计的一种肯定。这种肯定不单是关于漂不漂亮的问题，而是从商业上认可这种设计的价值所在。

香港的地理优势在于背后是中国大陆，自己也和亚洲其他很多国家离得比较近，前往这些国家的交通方式也很方便和快捷。其次，香港是一个国际化的城市，在商业、金融等领域的信息结构是非常发达的。也保持了自己作为中国文化一部分的个性所在，香港保存了很多自己的文化。这些都是香港发展设计的优势。

现在我们探讨的问题是香港在世界的位置是什么，香港在亚洲应该充当什么角色。我们现在不总说香港是中国文化的中转站，而是把自己看作是一个国际化的平台。这个平台是开放的，不同的人在这个平台上的所作所为是为自己的国家，也是为中国。

香港最有能力发展品牌战略的制造业目前还没有完全把握品牌发展的过程，还没有把握未来品牌发行的渠道。但是近几年一些企业意识到了品牌的价值，正在做这方面的推动工作。我们不能期望他们有一个立竿见影的效果，应该是逐渐培育吧。香港现在有6万家公司还在珠江三角洲，有1,100万工人，他们主要还是做OEM（OEM是英文"原创设备制造商"的缩写，它的基本含义是定牌加工，俗称"贴牌生产"）的。从OEM到ODM（原创设计制造商）和OBM（原创品牌制造商），我们现在还提出一个OSM（原创战略制造商）的口号，还有很强的发展空间在前面。

从"我家妈妈"到"情感建筑"

丘德威（ALAN YAU）出生于香港，12岁移居英国，是伦敦备受推崇的餐饮钜子，喜以现代厨技配以改良的传统东方烹调方法，将设计的精髓融入餐厅的每个细节。他曾策划和创办了日式拉面连锁店"我家妈妈"（Wagamama），在过去的10年里，"我家妈妈"已经成为了世界上最有影响力的餐厅品牌之一。他还创办了"客家先生"（Hakkasan）中餐馆，其姊妹餐馆Yauatcha同获法国权威饮食指南"米其林小册子"的星级评分，成为欧洲最出色的中餐馆品牌。

我本人并不是一个厨师，可能有人会说，我们做事的方式与其他品牌稍有差别，因为我的品牌对名厨的依赖性不如其他品牌那么强。作为一个餐馆经营者，我可以从很多常见的方面来定义一个餐馆的"产品特性"，如烹饪风格、服务质量、餐厅位置、餐厅内部装修以及餐厅氛围等等。但是，我想从一个不是如此具化的方面来定义餐厅的特性，那就是现代情感建筑所总结的现代真实感。真实感与现代感的融合产生了动态。现在的建筑是从以前的建筑演化而来，建筑师可以把重点放在吸收以前建筑的优点上，因为这些优点经过了岁月的验证。建筑师同时还有很大的自由，他们可以自由地改变一些特性，或者保留一些值得保留的因素。现代性同时要产生一种现世的真实感。我之所以称自己为现代主义者，不仅是因为我对于设计的这些看法，也是因为我对于食物、对于生活方式同样持有不断进步的态度。然而我所推崇的不仅仅是现代性，我同样相信永恒的存在，同样相信经典的品位与美感。但是，经典的品位与美感同样可以在现代的背景下得以演化，并且得到真实感。

在空间设计这个领域，我想说的与"理念"有关，我称之为"中心支撑成分"。在各种"中心支撑成分"之中，我对餐厅内部的座位的设计布置有着最浓厚的兴趣。因为作为我这样一个餐馆经营者来说，关注饭店内部有关座位的动力学可以使我的餐厅理念得到更加淋漓尽致的发挥，关注座位的设计不仅与空间动力学有关，还把"移动人体研究"更加个

性化（F B OPERATION）。以"我家妈妈"为例，我在1992年创立了"我家妈妈"，那时我运用长凳作为座椅取得了很好的效果。因为餐馆里只有长凳，人们就不得不坐在一起吃饭。而"我家妈妈"想要传递的理念就是要创造一个让公众连接得更加紧密的环境。在1997年，也就是我刚刚将"我家妈妈"出售的时候，我看到了一家同样位于伦敦的泰式餐馆，这里的座位方式令我十分感兴趣。我当时就有了这样一个主意，我想：要想让人们之间更加密切，除了使用长凳子，我还可以使用方形的小桌子。所以，我就试用了这种面积为1.6平方米的方形桌子，我想看看通过把这些桌子放在一起，我是否能够更好地传达我的理念，人们按照这种方形结构坐在一起是否真的能够达到我想要的社会功能。

关于"情感建筑"，另一点值得说的是与"座椅高度"有关。这也是我的第二个"中心支撑成分"。我在伦敦有间茶室，通过这间茶室的座位设计，我想要表达的理念是创造出一种不那么中规中矩，而是十分轻松、亲密的氛围。在这家茶室里，椅子的高度是400毫米，桌子的高度是680毫米。我非常喜欢这家茶室的座位设计，因为它们抛弃了拘谨的礼节，营造出了亲密无间的感觉。如果人们想要那种中规中矩的氛围，任何一家中等的餐馆都可以提供。在传统的茶室中，椅子高度通常是460毫米，而桌子的高度通常是720毫米。通过降低桌椅高度，我把人们的关系拉得更近了。我个人非常欣赏这个做法。降低桌椅高度还有一个好处，那就是让人们感觉他们身处的空间更加宽阔。

我的另一个观念就是，我的计划布局都是始于设计过程。对于我而言，设计过程远远比餐馆位置重要。这与传统做法相反。按照常规，对于餐厅和酒店经营者来说，有一个"基本准则"，那就是餐厅和酒店所处的位置高于一切。但是，对我来说，我想传达的理念与空间设计是否融合更加重要。我在做"饭店位置可行性调查"时，考察的非常重要的一点就是空间与我所要传达的观念是否相容。很多专业的餐馆经营者在谈到

空间设计的时候，都非常关注比例问题，他们关注前台和后台的比例。但是，这个问题对我来说仅仅是一个为了商业价值而讨论的问题。尽量扩大前台的空间，就是为了尽可能地增加营业额。我也相信比例非常重要，但是不如其他因素重要。我认为充分利用空间就等于最优化地设计空间结构，最好地与我的餐厅理念融合为一体。我的几个重要项目都存在一个共同点。但是"我家妈妈"除外，因为它是我早年创立的。对于空间结构来说，除了要与餐厅理念相兼容之外，还有很多重要的因素。其中一个关键因素就是所谓的"黄金三角"还有"黄金矩形"。黄金矩形具有平稳与和谐的美感，因此设计师大量地把黄金矩形应用在建筑上。因此，很多空间的美感依赖于"黄金矩形"带来的美感。但是，我还是认为形状与兼容性同样重要。这是以前的设计师们经常使用的"黄金矩形"比例，他们根据这个比例来划分空间。

很多建筑师和设计师都十分重视最终的设计成果，他们重视作品的功能性以及形状。他们对于最后的作品的关注使他们的设计过程变成了一个美学实验过程。如果把更多的注意力放在设计的意义性而不是美感上，就更可能创造出想要的氛围，表达出材质想要表达的力量。对我来说，"情感建筑"中存在的一个问题就是如何既能表达美感，又能表现意义。当我与约翰·帕森（JOHN PAWSON）就"我家妈妈"进行合作时，我们就试图统一美感和意义，并表达出约翰·帕森经典的极简主义。约翰·帕森把"极简主义"定义为："当一件作品的内容被减至最低限度时所散发的完美感觉；当物体的所有组成部分，所有细节以及所有的连接都被减少压缩至精华时，它就会拥有这种特性，这就是去掉非本质元素的结果。"在"我家妈妈"这个设计中，约翰·帕森的极简主义确实表达出了日本式精简的设计方式和生活方式。

我在1998年卖掉"我家妈妈"时认识了菲利普·斯塔克（PHILLIP STARCK）。与他的合作非常有趣，因为菲利普·斯塔克非常强调表现作

品的意义，而不是美感。我认为菲利普·斯塔克卓尔不群的才能就在于他能够创造出力度与能量，创造出充满活力的氛围。他的作品表示出他的理念：他想实现作品本身的意义，达到更高的目标，而不是让作品仅仅成为审美的工具。在我看来，他的理念虽然在当时与主流理念相背离，但是这个理念是非常重要的。虽然我自己不是一个建筑师，但我曾经接受过建筑与设计的训练，我也曾从约翰·帕森那里学到一些东西。我知道即使是看同样一个空间设计，从审美的角度看与从意义的角度看得到的结果是不一样的。所以你会发现，分别从这两个角度看菲利普·斯塔克的作品，大家的发现也会迥异。从"情感建筑"的角度看菲利普·斯塔克的设计，我从他身上学到的就是：设计师能够创造出力度。设计师不仅可以通过空间设计，同时可以通过把一些元素慢慢融入一个空间来创造出这种力度。

我不想在"风水"上大费口舌，虽然我在别处经常尽力解释"风水"意

味着什么，但是在中国，大家和我一样了解"风水"。在我所说的"情感建筑"中，我确实运用了"风水"这个元素。因为我深信"风水"有再平衡一个空间的能力，并且"风水"在估测一个空间的潜力时起了非常重要的作用。

人们对于菲利普·斯塔克的作品一直存在这样一种批评的声音，他们认为菲利普·斯塔克的作品过于强调意义，所以他的作品常常表达了太多的东西，过于现代，同时没有什么规则性。但是，我觉得这正是因为设计师想在他的设计中表达力度。

设计中式餐馆的时候，我们经常面临一个难题，我们经常把中餐馆设计得不是太具现代气息，就是太富有传统中国味道。所以问题就在于，我们如何在表达出中国元素和中国特色风味的同时，又糅合进现代的时尚元素，我们应该如何结合两者。

香港海洋公园：亲爱的人民公园

盛智文（Allan Zeman）是兰桂坊控股有限公司主席，该集团是香港高级餐饮领域主要的发展商。同时，他是香港海洋公园及位于洛杉矶的独立电影工作室After Dark Films主席。盛智文多年来为主题公园注入生命和使更加多样化，而这一切并不是为了利益。他以同样的创造性精神和毅力投入到许多产业中，并获得了成功。与此同时，他还强调了教育、资源保护、认知度，尤其是对年轻人。

我想从我是如何和香港政府一起开始计划，重新塑造和香港一同成长的"香港亲爱的老妇人"开始说起。我以前从未涉足主题公园这个领域，了解我的人可能知道我很年轻的时候是在时尚界做事，后来在香港创立了自己的品牌，叫做兰桂坊。现在中国各处以及亚洲很多地方都有模仿兰桂坊的酒吧。它已经变成了香港酒吧的象征。大约四五年前，香港前任特首董建华和美国迪士尼公司达成一项协议，迪士尼想来香港发展，并在香港建立一个主题公园，这是香港未来发展的趋势。

海洋公园像是个"劳累的老妇人"（当时海洋公园27岁），而且政府也不知道该如何处理公园。海洋公园在香港仔，那里非常非常美丽，公园建在山上，俯视着东博寮海峡，这个地理位置非常非常优越。就像通常一样，政府非常有大智慧，许多人到政府游说，现在迪士尼来了，可能海洋公园无法维持下去，因为多年来海洋公园就一直在亏损，但是政府并没有因为海洋公园在亏损就决定关闭公园，把这块地卖给开发商，建一些丑陋的住宅楼和商业楼。虽然这样更赚钱，香港四分之三的土地都是这样规划的。董先生是我的朋友，有一天他给我打电话，他说我们成立了一个委员会对海洋公园的未来进行调研，我们不知道如何应对迪士尼来港建立公园的事情。政府里有很多意见，我们想让你担任委员会的新主席。我说，你想让我当主席，你是不是疯了。我从来没去过这个主题公园，虽然我在香港生活了37年，而且我的孩子是在海洋公园长大的，我的妻子经常带孩子去海洋公园，但是我是个商人，我总是很忙，我就是个典型的香港商人，只关心我赚了多少钱，其他的事一概不关心。所以过去我天天都会经过海洋公园，因为我住在南边，但我从来没进去过，所以我根本不知道里面是什么样子的。董先生说，我们真的希望你来当主席。我想说他非常执着，他一共打了五个电话。他打第五个电话的时候，我当时在谈生意。他说，我真的需要你去公园看一下。我说好吧，我就帮你这个忙，我会去公园看看。我无法对你承诺什么，让我们考虑一下我们可以做什么。

我平生第一次来到海洋公园，坐上了缆车，看到了公园的景色，俯看深水湾，我在山边下了缆车，俯看东博寮海峡的全景，我把这处的景色叫做价值亿万的景色，我对自己说这太美了，谁想从这里搬走，关闭了海洋公园，那他就是疯了。当时，有一个美国公司经理，他本来完全没有有关主题公园的经验，完全是由政府任命的。他是个典型的政府任命的经理，管理酒店事务，从未涉足主题公园的业务，他的年纪比较大，已经60多岁，准备好退休了。但是他说经营这项业务很难，公园在亏损，在山边经营主题公园很难，这话也不无道理。如果我们关闭公园，把它移到平地的话可能情况会好很多。在东博寮海峡的军事学校都搬到了平地上，迪士尼也会搬到那里。听了这话以后，我对自己说，如果关闭了公园，他们一定是疯了。所以我就给董先生打电话，我问他，如果我不做，你会聘用谁。他说，我们没有太多可选择的人选。我知道这件事需要一个具有创造性的，真正懂得要做什么，有自己想法的人去做。这个公园就像是个劳累的妇人，但这里的景色特别漂亮。这个妇人就是需要美容，让她重现青春。

我对自己说，大自然为我们留下这么美妙的景色，她创造了海水，美丽绝伦的山间景色。我的意思是说这里的环境太美妙了。她有潜力成为成功的主题公园。如果搬到平地，你还要修假山，人造水，这些都很昂贵，现在的公园什么都有，而且都是真实的。我意识到我们最重要的事是我们应该找到合适的经理人，是真正了解主题公园的人，而不是管理酒店的人，也不是开发商这样的人。所以我们加快了先前那个美国经理人的退休进程，组织了调查研究，建立管理小组，小组的成员都是相关专业，拥有27年经验，并且离洛杉矶不远，还有电影制作等经验——我们网罗的人才都是真正懂得主题公园的人。

下一步，我们开始寻找设计师，我需要制定一个计划，我需要计划来使公园重焕生机。因为迪士尼要到来，而且我知道迪士尼是全世界最好的主题公园。那么海洋公园怎样才能渡过这一关呢。于是我们坐下来，开始考虑迪士尼与海洋公园各自的优势。迪士尼就是很多的城堡，卡通人物和梦幻的事物。那海洋公园呢？海洋公园是真实的，它有海洋和真实的动物，我们有熊猫、海狮、还有海豚。它和环境、生态和教育有关。它让人们和动物更接近。于是我们创造了"寓教于乐（edutainment）"这个词，就是各取了教育和娱乐的英文单词的一部分。在玩的同时学习，但重点还是娱乐，还是快乐。这就是我们的基本想法。我总是和媒体开玩笑，我们找到了海洋公园真正的意义，它是本土的主题公园，而迪士尼是外来的美国货，海洋公园是香港制造。当我和人们交流时我意识到孩子们是在海洋公园长大的，他们的父辈，甚至他们的祖辈都是在海洋公园长大的。正是这些过去的经历，使得人们真心地想把海洋公园办好。我借用了一个词，就是"人民公园"。媒体喜欢这个名字，对这个名字展开了许多报道。人们产生了一种亲切感，因为我们实施了一系列的计划，另一件我经常和媒体开玩笑的问题就是迪士尼和海洋公园有什么区别。我说，迪士尼的老鼠是假的，而我们的老鼠是真的。这就是海洋公园背后的构思过程。

我去了美国，遇到了美国的设计师。我们设计出计划，设计出不同的景点，想强化人们对动物的感受，所以我们引进了食人鲸、鲨鱼、蓝鲸和企鹅等各种各样的动物，想以不同的方式展示这些动物，不是像动物园那样，你走进去，看了三分钟后，你就走开了。和设计师工作的时候，我会给他们出难题，希望设计的每一个景点都应该是世界一流的。我们想为什么不做水母的景点，我们要用其他的公园没有做过的方式展示水母。一年内我们设计出水母景点，以前的水族馆很好，已经有30年了，但还是很有吸引力，但是我们还是要修一个新的。但是我注意到当游客经过悬崖的时候，那里有个小窗户，还有几只水母，游客们往往会停下来，围着水母看，有的人还会拿出相机，给水母拍照。

节日活动是我们的强项，比如说万圣节的活动是海洋公园非常大的一个活动。我们做的活动都是迪士尼所不做的。我们每年都推出了五到六个节日活动，万圣节、圣诞节、农历新年、泼水节。万圣节成了海洋公园的标志。这就是我们所做的。我们的景点让人过目不忘。

光就是空间的生命

光本身对人类的生存十分重要。它是我们赖以生存的物质之一，没有了光，我们几乎不能生活。在不同的季节，每天不同的时刻，光能够让我们悲伤，同时也能让我们喜悦，它能改变我们的情绪。我们人生的整个周期都依赖于不同的光营造出来的氛围。

当然，阳光是最重要的一种光源。过于强烈的阳光会带来伤害，而过弱的阳光同样会造成危害性的影响。我们生活中的很多时间是在建筑物中度过的，所以有意识地控制建筑物中的人工光源也非常重要，它能帮助你得到令你振奋的情绪。在不同的时候，它既能让你努力工作，又能尽情玩乐，它能使你的生命过得更加充实。

我从来不认为灯光是一个建筑物的附加因素，它应该是与整个设计融为一体的，而且它本身就应该具备自身的效果。就零售业商场本身而言，它应该是多种多样、令人赏心悦目的。如果它形式单一，那么长时间在其中逛的顾客就会感觉十分的厌烦。在商场灯光设计方面，最大的困难就是我们设计的灯光是为了展示商品，而不是展示一个人的面色。在时尚商店中的灯光设计尤其要注意这一点。如果既想要在人们试穿衣服的时候，用灯光把他们衬托得更加好看；又想用灯光把商品的颜色与质地展示得淋漓尽致，那么设计师一定要注意，要达到这两种效果，所用的灯光设计技术完全不同。所以要融合这两种效果，一定要用心设计。

陈仕芳（Arnold Chan）是伦敦Isometrix Lighting & Design董事总经理和灯光设计师。他创新和多功能的灯饰设计意念将灯饰作为创意元素的潜力发挥得淋漓尽致，1986年在英国伦敦创立了Isometrix，为客户度身订造设计独特的灯饰，他具备建筑色彩的灯饰设计概念，充分展现三维空间的层次感与空间感，令其设计区别于传统灯光设计。

商场中的大多数商品所占面积都不大，所以对于设计者来说，问题就在于我们应该如何设计才能达到这样一种效果：我们设计出来的空间能够吸引远处的顾客，而当顾客走进这个空间时，他能够清晰地看到这个空间内的商品。如今，零售业商场的建筑风格都十分独特，独特的风格与建筑元素能够吸引顾客的注意力，从而让他们走进商场。值得注意的是，巧妙的零售业商场设计依赖于垂直元素的应用。因为人们不太容易注意到水平的设计，除非他们走近时才能看到水平元素。然而，人们在很远的地方就能注意到垂直表面的设计，譬如墙和大屏幕等等。

大家都知道，日光强度对于商场内的灯光亮度会产生很大的影响。商品的样子在晴天、阴天以及晚上日光昏暗的时候是全然不同的。如果大家注意过非常高级的商场设计，就会发现他们实际上隔离了外界的光源，从而更好地控制了内部环境。

如今的零售业包含了很多生活方式的元素。人们去逛商场时，不仅仅是去买一两件东西，他们能够感受并学习到不同的理念与生活方式，他们在商场中体会到与众不同的特色与设计方式。所以大家能够看到，通过不同部分的设计，商场如此大的空间确实是多种多样、令人赏心悦目。零售空间有很多的发光点。所以，商场的天花板保持整齐的流线型设计很重要，因为在商场这样一个商品琳琅满目的地方，这样做可以防止视觉冲击过强。同时，将灯光的设计与整体设计在各方面紧密融合非常关键，这也是我们在所有的项目中所采取的做法。融合不同的光源，产生令人振奋的、轻松的以及各种不同的效果——这正是我所热衷的。与不同的设计师合作需要不同的方法，因为灯光设计必须与建筑物的设计融合在一起。有的设计师热衷运用复杂的结构、多种方向、多条轴线的建筑层次，并且喜欢使用黑白两色，这时灯光设计所要做的就是在黑白两色的强烈对比中创造出柔和的氛围。有的设计师喜欢把建筑物内部设计得十分黑暗，这就要求我们在其中设计很多的灯，且要把这些光源隐藏好，使顾客注意到的只有商品。

我记得5年前，街上几乎所有的商场都一模一样。你可以用同样一个名字称呼所有的商场，你逛了一个商场也等于逛完了所有的商场。但是现在情况完全不同了，比如香港连卡佛，空间的设计与灯光的关系尤其密切。世界各地的商场越来越缤纷多彩，令人赏心悦目。

饭店的灯光设计更加复杂，因为如果我们把饭店比作一个舞台，它不仅要有光鲜的外表吸引顾客，还要让顾客身处其中时，尤其在他们进餐的时候感觉非常舒服。所以，饭店的设计是设计师与饭店经营者要创造的一种微妙的艺术，要使一家饭店令人过目难忘，而且能使顾客频繁光顾，就不仅仅是食物的问题了，这需要灯光创造的氛围、饭店装修以及服务的完美融合，这样才能给顾客难忘的体验，而实际上，这种融合非常难以达到的。我相信在良好的就餐环境中，人们愿意花高额的价钱来获取一种特殊的体验。所以，在特定的环境中，要创造出独特、迷人的氛围。我的客户们经常对我说，我们想要非常迷人的灯光效果。所以，要营造这样的效果，你就要控制餐桌周围的灯光，这是非常关键的。当顾客坐下的时候，他们透过灯光，能够看到他们朋友脸上迷人、令人惬意的光芒。如何让人们看起来更加迷人是灯光设计的一大难题。

餐桌上灯光的设计非常重要，那周围的灯光其实也是同样关键的，如果人们坐在那里，尽管周围的材质非常生硬，如果能被灯光环绕，他们同样会感觉十分舒适温馨。在这种情况下，我们就可以运用烛光以及稍微微弱的灯光来让客人感到舒服。这也是我设计灯光时尽力要达到的一点。灯光不一定非得来自上方，也可以来自垂直的设计，也可以来自下方、地面。不管怎样，让人们被灯光环绕都能产生非常亲近的氛围。话绕回来，觉得细微体会人的感官心理也许是灯光设计中最大的挑战，光也自然成为构建心理空间的绝妙元素之一。

Q&A
陈仕芳（Arnold Chan）

Q：你提到了为许多不同场合设计灯饰，比如为零售店、饭店、酒吧等。你能驾驭不同环境的设计，这其中通用的设计原则是什么？

A：在我的演讲中我提到了：不要让人看出灯光设计，灯光要隐形。这就是总的原则，所有别的因素都要服从这个原则。

Q：你是华人并且在西方接受了教育，这种跨文化的背景对你的设计有什么影响？

A：我是华裔，做事有点中国人的特点，不像西方那样喜欢对抗潮流，对于流行的风格我一般会进行合作。现在中国的设计风格很少有历史背景，一般都借鉴西方，因此都是新的，传统中国的风格几乎没有。我在中国的设计作品也主要是西方风格的。

Q：隐性灯光更倾向于中国式的含蓄思维，而显性灯光表达了一种西方的张扬式思维。对此你有何评价？

A：我合作过的许多西方建筑设计师也都喜欢隐性灯光。当然，不同国家、不同文化喜欢不同的灯光风格。比如热带国家喜欢冷色的光，而寒冷的国家喜欢暖色的光。在中国，南方人和北方人对灯光的喜欢也不一样。

Q：你如何描述自己的灯光设计风格？

A：精致。具体来说，我比较喜欢填补建筑师留下的空白。就好像建筑师在讲一个故事，开头结尾都是他们设定好的，我的工作就是补充中间部分。

Q：为我们预测一下今后的灯光设计趋势好吗？

A：下一代灯光要能适应不同的环境，工作场所、游戏场所、家里都应该有不同的灯光。而且早上、晚上也都应该有不同的灯光。早上要高兴一点，而晚上要放松一点。我们会设计不同的灯光，来满足这些需要。

人与设计原型

比尔·摩格里吉（Bill Moggridge）是IDEO公司的合伙创始人。IDEO带给世界的思想、解决问题的办法、源源不竭的创造力以及层出不穷的伟大产品都是令人惊讶、难以置信的。第一代笔记本电脑的设计就要归功于他。他还曾担任美国工业设计协会的主席，受到企业界与设计界的高度尊重。

关于人，正如约翰·索莱（John Sorrel）所言，我们要关心人的需要，发现什么对人是有好处的，他们如何在生活中享用；对于他们来说，重要的问题不仅在于是否畅销，还在于如何处理人与人之间的关系。而探讨原型设计是因为我认为它提供了一种更快的方法使我们取得成功。

首先从人开始谈起，我认为很多设计师都常犯一个错误，即在设计时假想他们是在为自己进行设计。我们应记住很重要的一点，那就是我们可能在为那些比我们年老的或者年轻的人群、青少年、反传统的叛逆者们进行设计，他们可能来自于不同的文化背景或者有着特殊的社会角色及任务使得他们与我们所想象的有所差别。我们要找到理解他们的方法，了解他们的真正需求，并找出在特定的设计任务或者问题中什么才是正确合适的。

IDEO公司利用多年时间准备了这样的一套方法：有51种方法可供在创造性设计的大背景下研究人群。你们可以看见这些方法都用卡片表示，卡片背面带有一小段描写及实例以阐明卡片正面的形象。当我们谈到新的设计项目时，我们就可以运用这些卡片，决定在这51种方法中，哪种才最适用于这个特定的情况。比如我们可以从中选出五六种甚至十种作为这一设计的可能性，然后与客户进行会谈，同团队中参与设计的设计者们商讨从而决定哪一种技巧或者方法对于此设计最为合适。就像约翰·索莱所说的那样，正是对话起了很大的作用，这些对话不仅指与客户和设计团队的对话，还包括与那些将要使用设计产品的人群之间的对话。我认为，把在创新性设计（还未创造出来的设计产品）的背景下研究人群潜在需求的不同方法进行区分非常重要。这些是非常不同的研究方法，通过这些方法才能创造成功的商业个案。图中的右边部分是一些例子，显示微观和宏观的潜在机遇和需求，左边部分更多地是关于在我们有了想法之后的市场调查。在经过了样板阶段，我们可以看到设计品，明白到底在设计何种产品时，然后我们会在此基础上作一些创新，然而为了创造成功的商业案例，我们还需要利用诸如问卷调查、抽样调查等市场调查来回答诸如人们将会付出多少成本购买产品，有多少人将使用这一设计产品等问题。我认为用设计方式来研究人类需求和用商业方式进行研究是相辅相成、互为补充的，同时二者又有所不同，我们确实需要在正确的时间、地点及设计项目中二者兼用。

我们已经认识到了设计的力量。在美国的《商业周刊》上曾经刊载了一篇封面故事，专门讨论设计的力量，这使我们异常高兴。在这篇报道中提到了IDEO这个仅有150人的小公司，但正是这个公司在设计方面对商界产生了重大影响。有趣的是《商业周刊》的美国版和欧洲版有两个不同的封面，IDEO公司新总裁戴维·凯利（David Kelley）先生使得我们公司的发展理念从设计执行公司转到设计创意公司。

我认为我们做得最好的领域是在人与原型设计方面。事实上，IDEO公司是在1991年由两个公司合并成立的，我的公司更加倾向于人文因素方面，因为我们的工业设计、互动设计都非常出色，但在设计制造方面却比较弱。戴维·凯利先生先前在设计制造方面的经验使得我们获得了成功。戴维·凯利先生所带来的设计模式不是试图一劳永逸地一次性地制作出完善的原型，而是一个快捷的原型设计模式，并在制出模型之后进行多次试验。我想这一模式与商业环境息息相关。我考虑过商家在这一过程中期望些什么，商家们需要切实的证据来证明产品一定会取得成功，投资风险已经最小化了。他们需要量化这一过程以便进行投资，而且这种投资要使他们有信心能够得到良好的收益。这是商界教给他们的。然而我们的创意设计师们会说："这种产品以前从未有过，它会非常棒的！相信我吧！只要给我资金，我将向你显示它有多么成功！"这是另外一种与前面所述的商业考虑格格不入的观点。商家就会回答："不不不！这种产品从未有过，风险很大因而不适合投资。"所以我想我们需要克服这种商界和设计行业思维方式的不同。快速原型模式是解决问题的答案；设计师们可以这样对商家说："就让我仅仅小试一把，做出模型，这样不会花费太多，然后我们去考察人们是否欢迎这种产品，如果受欢迎就可以在现有的基础上扩大规模，进入下一环节。"这样就能使商人们更加容易接受我们的设计过程。

对于商家来说，这是一个不同的问题。对他们来说，速度和效率就是他们的竞争优势。可以理解，在项目实施时，他们希望直接进行市场调查，而对我们的设计方法卡片置之不理。我们应该问他们这样一个问题："想不想创新？"如果想创新，就需要了解潜在的需求，而我们的设计方法卡片在这方面是最有效的。中国正在经历迅速的变革，以前人们一直认为中国是制造业中心，直到最近，人们才认识到中国还是设计业中心之一。我认为商家对测试态度上的怠慢是有原因的，他们认为并不需要调查，除非他们理解创新文化的重要性。

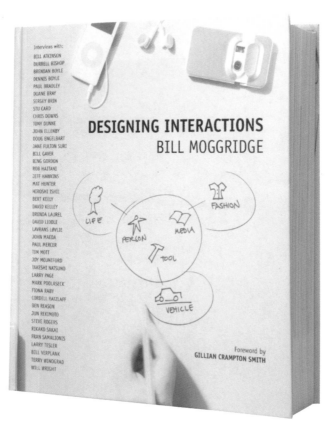

随着全球化的发展，我们意识到需要使创新的机会遍布全球，我想问题的关键就在于让创新型设计深入企业文化，尤其是在香港，创新型服务显然大有可为。我个人觉得这个过程应该是比较简单的，这也是为什么我看到很多设计原型都获得了成功。比如一个企业研发出了自己的产品或服务，找到了解决的方法，就可以与其他企业分享设计的方法，那些不善创新设计的公司可以与比如伦敦已经进行创新的公司合作，一部分设计在这里完成，另一部分设计在那里完成，全球化的设计和通讯手段使得我们可以共同在全球的基础上进行设计。

Q&A
比尔·摩格里吉（Bill Moggridge）

Q：你在许多国家的大学担任教授，在你看来，一个设计专业的学生应该具备什么样的能力？

A：专业化的设计门类间是有很大不同的，有许多科目。对他们来说，专业化的设计教育就很有成效。这种传统已经延续了几百年，收效很好，分类合理。比如，现在平面设计教育方面很完善。但如果你要处理比较复杂的问题，那么你就要有跨专业的团队。不仅仅是设计人员自己，还有许多别的领域的人，比如人的因素、经济的因素、工程的因素等等。因此，设计专业的教育不仅要提高学生素质，而且要让他们学会与人合作。我们把这个叫做"T"形，既有比较深的本专业知识，同时也有人能把不同专业的人整合起来。

Q：对于迈入这个行业的学生来说，成功的关键是什么？现实的行业情况和大学里的教学环境总是有很大不同，学生应该怎样调整自己来适应现实的设计环境？

A：如果教师能和设计行业的从业人员保持良好联系的话，那对学生来说是非常有利的，学生可以从中学到许多。但过多关注设计行业的现实，可能会导致强调技术，因为叫学生机械化地作图是比较容易的，这样对设计理念、设计思想就会关注不够。这样的话，当学生离开学校时，找工作比较容易，因为他们懂得计算机辅助设计和作图；可是若干年后，他们可能就不能很好地适应新时代、新事物。在技术和理念之间，我总是强调后者。当然，两者其实是不应偏废的。

Q：创意现在已经成为了商业中非常重要的一部分，但是此外还有别的

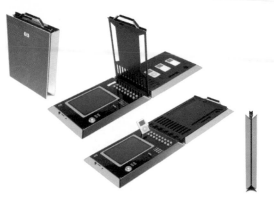

非常重要的组成部分，比如融资、推广等。那么设计如何与这些部分很好地衔接呢？谁又该负责这些衔接工作呢？

A：对我来说，这个问题其实很简单。关键就是人，随时都要考虑人们想要什么。如果人们想要简单的东西，那么你就设计简单的东西。如果人们还要软件，要上网，那么你就设计一个系统。如果人们要去商店买东西，那么你就要设计商店。如果人们要上网去Amazon，那么你就还要设计网站。总之，原则就是你要想着人们在一定的商业环境下会去做什么，那么你就设计什么。当然，你得对情况有个总体的了解。

有时人们的视野比较狭窄，对全局没有认识，这就比较危险了。总之，就是一个词，总体经验。

Q：设计者除了和客户之间的关系外，他们对于社会有什么责任呢？

A：这个问题和我刚才提到的"关键是人"这个原则，你要有整体观念，要想着整个社会，甚至是整个人类。设计者在对企业负责外，还要对社会负责。同时，企业也要有社会意识。一个负责任的、成功的企业要明白自己在整个社会中的位置。设计者不仅要为企业服务，还要为社会服务。

Q：你认为是设计者引导了潮流呢，还是消费者在决定着设计者的设计？或者这两方面是互相影响的？

A：我认为他们是互相影响的。设计就是关于如何处理各种各样的限制，设计就是要去搞清你面对的这些限制。当然，环境不一样，这些限制也是不一样的。只要你搞清楚了这些相关的限制因素，那么就不是谁决定谁的问题，而是二者互相影响的问题了。

明天的设计学校

2006年6月份在伦敦皇家艺术学院，英国的一位高级官员Jackie来到我们学校参观一年一度的学生设计展览，这是前所未有的。他参观了各个系，包括产品设计系、交互设计系（Bill Moggridge 是这个系的学生），还看了时尚针织品系（Gean de Rou 是这个系的毕业生），他还看了工业设计工程系（James Dyson 是这个系的学生），越参观他对设计越感兴趣，当他要离开时，我给了他很多材料，包括目录、文献和领域的前景展望等一堆材料，他说："你这是要转移我读经济的注意力，是不是？"我说："不是，这就是经济。"他停留片刻，说："对，这是新经济。"这件事的有趣之处不在于这是新经济，而在于世界上的高级官员也开始意识到了这一点。但是令人惊讶的是，这样的对话在十年前是不可能发生的，艺术设计学校在这十年中已经跻身于教育大舞台的中心。

学校是社会创新力的熔炉，这是在20世纪90年代晚期出现的说法，意思是产业应依赖于知识产权及个人和团队根据其价值观所做的创新。大学自身作为文化教育机构，是一块创新的磁石，为需要再生产的城市创造出很多催化剂，也是愉悦大众的美术馆的前沿。人们也更多地意识到：创新作为世界经济的一部分已经成为世界的主流而不是边缘。全世界创新的市场价值已经从2000年的8310亿美元增长到2005年的13000亿美元，在全球国内生产总值中占7%以上，并且还在增长。

克里斯托夫·富莱灵（Christopher Frayling）是一名历史学家、作家、批评家和艺术顾问，也是一名优秀的传播人，此外，他还是伦敦皇家艺术学院院长，就是这样他以自己的方式热衷于他的工作。他同时还主持英国很多重要的机构，包括英国设计协会、英国艺术协会以及维多利亚·阿尔伯特博物馆。他在2000年获得了爵士功勋，是英国过去30年艺术界的灵魂人物之一。

100 years at the Royal College of Art

ART AND DESIGN

CHRISTOPHER FRAYLING

而在英国，这一地位的转变导致了设计专业毕业生的大幅度增加。仅就英国的数据来看，在3年里艺术设计毕业生达60,000人，超过了文艺复兴时期的人口增长数。在中国，艺术设计学校也在急剧增加，新建了很多学校。这些学校都拥有工程和设计专业的教师队伍。我们是否注意到，商业语言已经开始采用先锋艺术语言，艺术语言充满了短语、概念、套词，这些艺术语言在1920年代的欧洲曾引导潮流。"以目的为导向"，是当前的伟大的短语之一，出自德国"Studio"（工作室）出版的设计图书。

德国的"Studio"是在1919年建立，1930年代关闭的，它是西方公认的设计学校历史的里程碑，也是20世纪最好的模范，至少在西方是这样。我想提出的是"新的工作室，21世纪的设计学校"。我的观点并不是通用类型，适合各种文化下的各种设计教育模式。作为产品设计师，你们可能读过Henry Dreyfus在1959年一部给设计师的伟大作品《人体度量》，他提出了一个通用的策略，我认为那是毁灭创造者自身的营销风格或是尼采式的营销模式。我的观点是，"设计"发生了两件事——这之前我们听说过，但也是发生在文化和经济世界的事。

第一个是19世纪设计教育的发明，其理念是设计是科学，是语言，这个体系中最伟大的教科书是Owen Jones的《装饰的文法》，这本书是19世纪西方艺术教育的教科书。其中的思想是：如果你习得了各种设计、所有的装饰特征，在全世界你学会了这些语言，然后你把这些语言运用到产品设计中。这是一种昂贵的模式。但这是科学，这是语言，与创新、发明没有任何关系。你学会了一种视觉语言（也是实用语言），幸运的话，你可以走出去说这种语言，这就是产品设计师Christopher Dresser的教育宗旨。他在皇家学院教授学生这一体系，课程的名称是"工厂的

MAD, BAD
AND
DANGEROUS?

THE SCIENTIST AND THE CINEMA

CHRISTOPHER FRAYLING

文法"，即把工厂形式作为一种设计科学。你学会了如何处理工作的语言，如果再学会了如何组织语言，在离开学校后，你就能很好地运用这一语言。他们在维多利亚时代如何把各种设计记在脑子里，在离开学校后又怎样设计。就Christopher Dresser来讲，他设计了很棒的茶壶和匙形加热器。理想的过程并不与产业相关，而是和你的语言相关。你复制了很多物品，这些物品和木炭棍一同都堆积在博物馆里，然后你开始模仿，第二年你复制一些很平常的东西，而后复制建筑的细节，最后你毕业时有的就是一组复制来的东西。实际上，伦敦的维多利亚·阿尔伯特博物馆就是作为皇家艺术学院的直观教具建立起来的。他们把学生复制的作品都堆积在那，直到最后没有地方了，所以他们不得不建立一个博物馆好存放这些东西。在这一体系中还产生了历史上第一本设计杂志——《设计厂商期刊》，这就是这种语言的杂志，涉及了不同形式的语言，合成的语言，详细地介绍了生产设计。它是继Owen Jones的《装饰的文法》后学生们的又一本经典教科书。其中对于如何教授设计有非常成型的观点。有好的设计，也有不好的设计。不好的设计是指遵循固定的原则，这是不好的设计，我在维多利亚·阿尔伯特博物馆的档案中看到，不好的设计是强行遵循原则，直接对自然的模仿，这不好。太多映射、太多要求、太多细节，这样不好，这是不好的设计。期待太多，就像用作纪念的墙纸。太拥挤了，你在这些规则前不会有勇气。

维多利亚时代，设计是科学，是语言，是字典。这是设计教学的第一个模型。然后在20世纪初，设计模型发生了历史性的变革。摆脱了语法，摆脱了视觉语言，摆脱了形式和体系规则，设计变成了批评工业的角色。总的印象就是，主要街道上充斥劣质的让人厌恶规模生产的产品。与这些斗争的一种方式就是生产出高价值的产品，在工艺制作的环境下设计，这就是反对工业生产的例子。我在大学的一位设计师前辈Coran

就领导了这次运动。他设计产品，摆脱文法，采用基本的工艺技术，用绳子器具等设计。学生在第一年练习基本设计原则，玩一些设计游戏、造型，在第二年开始专注于某项工艺。解决现代设计行业所面临的问题的办法，同时也批判了工业化生产方式。第二种模式就是批评设计，超群脱俗，这是规模生产所做不到的。如果你制作出很好的东西，花上足够的时间，人们在买这些东西时就会多想一些。

思想决定了20世纪的进程，包豪斯设计出了许多经典的设计，但是这个决定这个行业的研究却发生在别的领域，比如说在工程学、材料学、化学和技术，它依赖于大公司的研发部门。与此同时，包豪斯也被引入了其他地方教育机构的试点项目，像1940 走进了芝加哥，某种程度1960也是如此，就像诗人克利斯多夫·罗伊夫在他20世纪60年代发表的诗选中写了一首关于法国作家保罗尼尔。这首诗非常短，我想总结一下包豪斯的学生、设计和现代世界的关系。

　　来到山边吧，
　　我们可能会摔下，
　　来到山边吧，
　　那里太高，
　　来到山边吧，
　　他们走了过来，他在背后推，
　　他们飞起来了。

我想这就是现代社会和经济所渴求的，未来的艺术和设计学院应该为提供这种知识而起作用，并对影响进行研究，真实地表现现代生活，就像原来的包豪斯所说的那样。但这次是真的。

Q&A
克里斯托夫·富莱灵（Christopher Frayling）

Q：作为世界上第一个进行工业革命的国家，英国在1995年首次提出"创意产业"这个概念，似乎要发起一场"创意革命"？

A：对，从某方面讲确实如此。英国正在经历一个"创意革命"。当然，我们并没有发明设计、广告、时尚、广播、电子游戏等领域。我们只是给这些领域起了名字，给它们贴上标签，让人们认识到它们。作为国民经济的一部分，创意产业很早以前就开始了。但是人们并没有意识到。我们并不是搞创意的第一人，但是我们是第一个给它起名字的人，并且对其极为看重。我认为，创意产业在英国GDP中的比例比其他国家要高。创意产业占整个经济的8%，这个比例很高。它的发展速度是整个国民经济的3倍。所以伦敦有很多的创意公司。世界各地也有很多。而在中国这一产业正在兴起。成立了很多艺术学校和设计艺术高校。创意产业成为中国经济中一个越来越重要的部门，这很好。我们并没有孤军奋战。

Q：你提倡建立新包豪斯学校？

A：是的。20世纪艺术院校的模式，尤其是西方的模式，就是包豪斯。那是德国在20世纪20年代摸索出来的。那么今天的艺术院校应该是什么样的模式呢？如果我现在要建立一所艺术学校，它应该是什么样子呢？首先是管理方面。因为在以前，教育和设计的方式与当时的社会经济状况有关。其次要有远见。如果让我开办一所艺术学校，我要如何做。我要让学校尽可能地向产业靠拢，要比以前更紧密。这部分是由于有了科技。因为有很多技术可以应用。当前在设计室里，学生们可以使用数字技术进行设计。但是在我的学校里，我们是为工厂搞设计。你无法把工厂搬到设计室来，所以就只能把工厂制作成数字模型。现在可以考虑这种方法，使其成为设计的一部分。创意产业对经济的重要性比以前高了，艺术学校移到了中心

40

位置，成为人们关注的焦点。但还有很多工作要做。它确实在发展，给年轻的设计家们提供了无数机会。我们在大学里做了一项调查。在过去的10年时间里，92.5%的毕业生在毕业后的两年时间里找到了专业对口的工作，起点都很高。92.5%，真是不可思议。经济发展确实亟需这样的人才。在20世纪70年代，我刚开始教育工作的时候，学生们都很愤怒，他们与整个世界对立，批判一切。但是现在，他们渴望参与进来，改变事物的面貌。情况发生了很大变化。我们的艺术学校就是这个样子的。

Q：你认为设计真的可以改变世界吗？

A：光靠它本身并不能，它要与其他事物结合起来才行。人们习惯上认为设计是服装设计。我的意思是说，如果你进入制衣业，大衣的设计不是你所看到的那个样子。事实不是这样的。你要把设计员带入制衣的前几个阶段。其他行业也是如此。在卫生保健业，要想让它运行良好、经营不错、有突出的业务，设计就显得很重要了。再举个汽车的例子。汽车的机械方面当然很重要，要制作精良、保证安全、美观耐看。但是，是什么让消费者决定买车呢？是这辆车的设计，是它给人的感觉，以及它所反映的生活方式。就拿宝马来说吧。想一下它的声音，就是车门关上时发出的声音。试比较价格达45,000英镑的车的关门声和10,000英镑的车的声音。前者声音很轻，透出一种优雅；而1万块钱的车却是"邦"的一声巨响。这取决于设计，完全是设计的作用。不仅仅是外观，还包括感觉、气氛等等。你可以称之为"情感因素"。伦敦皇家艺术设计学院曾经请到了美国福特公司的首席设计师到学校演讲。他说：我们正在从事一个"表现的行业"，汽车设计师就是领军人物。这就是为什么人们来买汽车，的确如此。这当然离不开一个成功的汽车行业，设计师自己无法有所作为，但设计师很重要。我认为有一点很重要，那就是设计师的理念，它能引发很多东西。很多新发明是进行科学研究时意外产生的副产品。蓝牙耳机就是这样发明的。然后就有人说：哦，我们可以开发个人音响。还有，在生化实验中，产生了一种物质，有人就说："可以把它用在真空吸尘器里。" 17世纪英国的一位著名演员说过：所有的设计都是商品，也是愉悦。"商品"的意思是指商业的东西和所有现实的方面；"愉悦"意味着美丽和好奇。没有空洞的美丽，必须两者兼顾。

Q：在信息时代，科技不断发展，也和设计发生着越来越广泛的联系；品牌的打造和经营也需要设计师充分理解商业操作。似乎现在设计师的门槛比过去高了？设计教育系统是否需要根据时代的要求进行改革？
A：的确如此，必须这样。很多关于设计的书的作者都是我所说"大写的设计师"，有些有名的设计师会展示他们的作品。但是也有"小写的设计师"，他们是战略家、经理。他们设计企业的战略和营销方式。二者相辅相成。我们需要设计大师，他们见识不凡；但是我们也需要普通的设计师，他们脚踏实地，管理着企业。在当今世界他们必须这么做。世界变化很快。有很多的经理、商业咨询师涉足设计行业。所以说设计师的角色正在发生变化，也与其他职业发生着关系。过去20年变化很大。现在还有一些职业是围绕着设计的，我们必须探讨一下，这样才能了解情况，虽然有点复杂，但是很重要，是关键。
另外一个问题是教育问题。是不是在工程学和传统的文科课程中都需要讲授设计呢？这个问题很难。答案是：都要教授。在文科环境中学习设计是获取灵感，在理科环境中学习设计则是获得实际解决问题的能力，属于技术层面。二者都需要。还需要在一个团队中去领会。在新世纪讲授设计课，有时需要在工程课上，有时需要在文科课上。必须兼顾两者。仅仅一方面是不够的。我认为当前有两大问题困扰着设计界。一个就是学工程的人不懂设计，他们不知道跟设计师说什么，不知道如何与设计师沟通。这个问题必须解决，可以通过教育来解决。另一个问题就是，搞商业的人觉得设计师很难与人合作。需要让搞商业的人和搞设计的人通力合作，这对双方都有利。还有工程师与设计师的问题。这可是个大问题。我提倡的新包豪斯学校就是要解决这个问题。这是我的理想。我正在努力使学校面向未来。未来的设计学校将会成为创意产业的研究基地，就好比传统的大学是制造业的研究基地一样。设计学校成为创意产业的研究基地，这是一个非常重要的角色，会产生很多的想法。

Q：英国的设计教育很出色。你看还有需要改进的地方吗？

A：当然有。我认为有两个方面需要改进。一个方面是，需要将商业与有创造力的学生联合起来。学生有很多非常出色的想法、创造，但商业领域一般都很缺乏创造。另一个方面是，搞设计的人不擅长与人合作。我们培养出来的学生，每个都很强，他们自尊、自负、自信，这一点很好，他们能做出不错的东西，他们都是优秀的人才。但是大公司需要的是有协作精神的人，不是总需要特立独行的人。很多设计师都是特立独行，最后只好走人。如果想在一家大的企业里工作，就必须学会在一个大的机构中团结协作。在这一方面，他们可能不如那些受过培训的人。我们以自由放任的方式培养学生，而不是培养他们在室内工作的能力。我们正在努力改善。这就是我们面临的两大挑战。

说到创造力，我们学校是一个很有创造氛围的地方。这就是我所说的"设计氛围中的艺术，艺术氛围中的设计"。将艺术和设计结合起来，置于一个舒适的所在，你就会看到出现的结果。这就是我们学校成功的秘诀，找到这一秘诀花了很长时间，总算找到了。至于中国，你们花了272年的时间修建长城，你们有很多的时间，你们很耐心。英国的艺术教育始于1837，我们花了很长时间。中国第一所设计学校是在二三十年前成立的，时间还很短，还需要进一步发展。我们的主要问题还是缺乏团队精神。有时我们的学生太孤傲。

从进入到整合，品牌的国际化

陈瑞麟（Dannies Chen）是中国高级珠宝品牌Qeelin的创办人之一，也是很有影响力的珠宝设计师。他早年毕业于香港理工大学，还很积极参加各种各样的社会活动、公益活动和设计教育。他经营自己创立的Longford公司，成为亚洲原创设计生产商的代表。他1997年创办Qeelin，并在短时间内把Qeelin成功地推向国际市场。

我的经历可以分成三个阶段，第一个阶段是在我毕业之后，我首先做的是产品设计，我很幸运的是加入了一家很好的公司 CHINMINSO MACHAKEE，它们是亚洲首屈一指的黑晶公司，也是把设计带到香港的一个很重要的人物，我在初级阶段发现我们最大的任务是帮一些香港的设计公司解决一些他们在设计上遇到的问题，我们的客户包括一些很知名的品牌，例如乐声（National）、三洋(Sanyo)和飞利浦（Philips）这些牌子，在合作的过程里面我发现，每一个公司都有它独特的背景和设计理念，于是我就问自己问题，我们到什么时候才能够拥有自己的设计文化品牌，把自己独特的理念融入其中。于是我在1989年的时候，成立了一家公司名为LONGFORD，我想在香港或者亚洲来说都算是一个比较早拥有自己风格的独立设计公司，我们主要的产品是钟表、家庭用品和一些很有趣味的日常小物品，我想随着年龄的增长，一个设计师所欣赏的东西是会有所转变的，于是我们总是考虑下一步我们会做什么新的设计，在那个时期我自己比较喜欢的是一些机械的手表还有一些首饰，因为我在工作期间经常需要去到国外参加一些展览会，所以有了很多机会去看看国外很漂亮的设计产品。

我想有很多人肯定知道巴黎有个地方叫PAS VENDUO，这个地方位于巴黎的中心，在这个中心的周围会有很多来自世界各地的名牌，但是惟独缺少中国的品牌，我发现这些大品牌都有一个共同的特点，就是它们

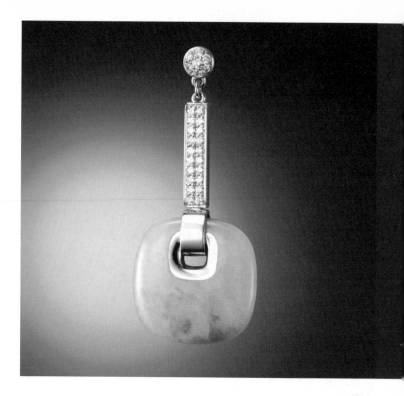

都经历了二三百年才成为了一个顶级的国际品牌，每一个品牌的背后都蕴含了它所在国家的文化积淀和审美倾向，甚至文化的演化和进步。在1997年的时候我们成立一个团队，想以一个全新的理念推出我们的品牌——QEELIN，我们认为如果要有一个具有中国概念的东西的话，已经不需要单凭在中国的某些城市推出才能叫中国的概念，现在世界已经变得越来越小，你要去欧洲的话，也不过是十几个小时的飞机，还有现代信息的发达，沟通已经变得很容易，我们想做的是一个具有中国理念的品牌，但是所有流通和发布必须是国际的和现代的。以往一旦我们提到中国设计，都会有一种陈旧和死板的感觉，我们总是会想到清朝的木雕和明朝的家具，我们想尝试能不能以我们的经验加上全新的理念，创造出一个中国制造的品牌，这时候我感觉自己很像一个电影导演，把全世界最好的资源汇集起来，譬如我们发现法国的钻石工艺是极好的，于是我们所有产品的镶嵌都在法国完成，意大利的金子很好，我们就把首饰中的金饰部分留在意大利完成，至于广告，我们找的是巴黎一家很有

名的广告公司——AIR全权代理，大家看到MAGGIE（张曼玉）的摄影是由WING SHA 出品的，店面的照片大家看到的都是来自意大利和日本的装潢。

我们是以自己视野的宽度，来把QEELIN这个属于中国的品牌是世界上最顶尖的设计资源结合起来，这是一个面向国际的品牌，所以我们有意地把它摆在了一个国际的平台上，接受各方的评论和挑战，而不是仅仅在香港或者上海有限的本土地区。如果问我QEELIN这个牌子算不算成功，我不敢断言，从2004年推出到现在，我们是以一个飞快的速度在成长和发展，除了巴黎和香港这两个大本营以外，现在我们的足迹已经开始进入到东京、洛杉矶、中国台湾以及新加坡。我们是想以一种极其简约的风格来面对市场的，我们在推出每一个新的系列时，都务求前所未有。我们希望所推出的每一个系列都能充分渗透中国特色的同时，所演绎的也是国际上最前瞻的设计潮流和手法。

芝加哥千禧公园效应

要想了解一点芝加哥，那么你就必须了解芝加哥的历史。火车使芝加哥有很大的发展空间，直到今天也是这样。

千禧公园对芝加哥经济的贡献对芝加哥人来说是个惊喜。芝加哥拥有美国最大的公园发展空地，非常幸运的是，芝加哥开始利用空地建设公园。这些公园空地被分配到了私人住宅前，芝加哥有近3000公顷这样的空地，现在这样的规模是很难做到的。这要归功于上世纪初芝加哥的具有创造力的伟大的设计师和规划师，比如丹尼尔·伯曼和爱德华·班纳尔。他们在对芝加哥进行规划的时候就预见到了这些空地。后来爱德华·班纳尔担当了现在称作大公园（Grand Park）的建筑师，占地320公顷，是芝加哥的前院。爱德华·班纳尔在巴黎从师科德·比扎尔，他重新兴起了修建大公园的热潮，公园于1917年修建，于1927年基本完成，现在你看到的千禧公园，铁轨仍然占据着芝加哥北部大片的土地。

爱德华·库卢尔（Edward Kluhlir）是芝加哥著名设计、建筑及规划专家，芝加哥千禧计划的执行建筑师，他的千禧公园效应"获得经济效应的文化场所"解释了为什么这种芝加哥市和该市慈善组织之间大胆且独特的合作关系超越了公园其本身，创造了令人惊叹的艺术、建筑、景观和具有创造力的项目，这些带来了巨大的文化、社会、经济和改变时代的正面影响，改变了人们对城市的看法。

千禧公园的一个重要的建筑就是白金汉喷泉，它是1927年用私人捐款修建的，因为捐助人白金汉为了纪念他逝去的哥哥。它是芝加哥中心以前的标志。1927年它还进行捐款由市政府负责维持喷泉的运作。大公园是芝加哥举行大型节日盛会的场所，每年夏天这里都有大型的节日庆祝活动。大公园交响乐厅建于1978年，已经不能够满足在这里举行音乐会的要求。刚开始只是办音乐会，后来这里发展成为举行节日庆祝的场所，

比如说摇滚乐和其他在芝加哥举行的音乐会。大公园的部分并没有真正发展起来，铁路占据了这块地，米勒·戴利的牙科诊所就在这栋楼里，当他洗牙或钻牙的时候，他觉得非常痛，他觉得要为芝加哥前院的糟糕状况修饰一下。于是他让员工研究出方案，他想把这里建成停车场，这样就能为修建停车场还有公园提供资金。他雇佣了一个公司，调查情况，拿出方案。他们决定继续运用法国文艺复兴时期的大型工业设计，得出了目前的设计，但设计存在一些问题，一个他们没有预料到的问题就是，在公园下修建了一个固定的停车场，也就是密歇根会场下的停车场，它建于1953年，现在已经快倒塌了。他们也没有为残疾人考虑，修建的观景台只有梯子，而坐着轮椅的残疾人就无法上去。美国的法律即《残疾人法案》规定公共场所必须为所有人士提供可进入的设施，否则不得建设。因此，1998年市长让我介入这个项目，担任总设计师。我们开始对设计的不足之处进行修改。我们建立了一个景点的框架，把所有设计师、艺术家和园林师的理念融入到一个框架里。幸运的是，我们在修建前并没有任何具体的设计。

我们盖了两座车库，一座是在这边，另一座在千禧公园即密歇根会场地下那边。这段时间是我非常痛苦的一段时间，在我们的工程进行的同时，报纸对市长和工程进行了言辞激烈的批评。因为，据这些报纸称，公园的建设远远超过了预算，而且工期远远落后于当初的计划时间，公园应该在千禧年2000年完成……

工期持续了5年，我们修建了辅助楼群、车场和支持车场的建筑。很幸运的是，市长很坚定，他没有理睬媒体的报道，我们继续我们的工程，随着发展继续筹措资金，有一些个人对工程进行了捐助。第一个主要的私人捐助人是辛迪·普利斯戈尔，她的家族经营酒店连锁店，幸运的是我住在这家酒店，于是我向她讲述了这件事。但是她说如果公园的设计是由SOM负责的话，那我不会给你们投资1500万的，我们立即改变了设计单位，聘请弗兰克·盖瑞（Frank Gerhy）。现在弗兰克在笑，为什么呢？因为作这个项目，他的报酬很高。但是弗兰克不愿意为政府工作，我们从普利斯戈尔的捐款中付给他薪水，就不用通过政府那样的竞聘方式来聘用他，并且让他来设计普利斯戈尔亭的建设，这是我们修建这个公园的最根本的原因。于是弗兰克普利斯戈尔亭的设计方案，是我们的主要设计，是他想做的，实际上也是我们当时能盖得起的建筑。并不是建筑，实际上并不是如他所想的那样。我们设计了精美的模型，你们可以看到在这个角落。这些在一年内都没有公布，之后我们才开始工程，我们不知道弗兰克会设计什么样的建筑，我们怎样支持他。因此我们要做出调整。我们开始建设工程，这是个非常复杂的建筑，芝加哥的建筑承包商计划了很久才知道如何修建这个音乐厅。弗兰克的设计非常优秀，非常有创意，是全世界最好的室外音响系统。因为他发明了管道结构的设施，说话者的声音能够进一步加强。在世界上室外的音乐会上，这样的效果非常好。有些讲话者创造了建筑包裹，就像是一间房，利用天花板和墙的回声。他们告诉我还有10分钟。我是粗略地讲一下，还是按照计划讲完我的内容。这是个出色的设计。BP 桥也是弗兰克设计的。弗兰克设计这个桥非常出色，成了广场和室外音乐厅之间最好的缓冲点，这也是市长喜欢公园的原因。刚开始，他觉得弗兰克的设计过多，他并不喜欢这座桥，后来我们告诉他的桥的作用之后，他就接受了。现在他常说，芝加哥很幸运，它拥有不只一座世界上由弗兰克设计的桥。这是个很美妙的体验，游客很愿意走过这座桥。

在公园的设计过程中，我们存在竞争，因为原由SOM设计的项目大家都不喜欢。我就组织了一场竞争，我们可以邀请我们想邀请的设计师，有来自日本，还有来自美国的迈克·皮德沃克尔。有三个人进入了最终的复选，来自纽约的杰克·蒙窦佐，来自康涅狄格的詹姆·克利，事实上，在工程开工之前，他就去世了。最后的获胜者是来自华盛顿州西雅图的凯瑟琳·加斯科森，她还设计伦敦戴安娜王妃的纪念堂，这是非常成功的建筑。这些设计融合了艺术、建筑和园林建筑领域。她把自己看作是土地的雕塑家，当俯瞰景致的时候，你看到的是颜色，由世界著名的园林设计大师皮特·鲁道夫设计的，还有美丽的背景，游客参观时对这些景色赞叹不已。他们不会在我们的水边受到伤害。他们可以坐在水边，把脚放进水里，而不会像在伦敦那样滑下去或掉下去。

在公园的一个角落，曾经有个建筑，已于1953年拆毁了，我们想重建，作为公园的历史性建筑，公园的一边是以前的密歇根大街，我们还有举行庆祝活动的场所，我们总共受到115位捐助者为公园募捐超过100万，我们从公司、基金会和个人处筹集到2.4亿美元的资金。我们要把他们的名字写在某处，所以就放在了这里。原来的滑雪点我们改造成了夏日在户外就餐的场所。自行车存放处可以存放300辆自行车，现在是麦当劳的存车处，因为它们想改变形象，宣传锻炼的形象。还有两件重要的艺术品，是芝加哥非常大的景点，可能是芝加哥最大的艺术品，它使人们与艺术接触，人们可以看到这个艺术品，他们在雕塑的上面留下特别多的手印，每年要花15000美元来清除这些手印。但这的确是个绝妙的艺术品，这是公园的重要景点。

另外一个重要景点是喷泉，是约翰·普拉扎设计的，非常受欢迎，很多游客来这里，以新的特别的方式和艺术接触，代表着芝加哥民族的多元化，非常美。艺术馆是一个展览基地，我们把每个主要的捐赠者的照片挂在这里，相同大小，还有公司的标识，你可以拿走或留在原处。现在我们已经有3亿人参观这里，现在当然所有的报纸都一改往日的批评，说这是芝加哥以前从未有过的事。每个夏季我们都会举行17场免费音乐会，芝加哥交响乐团，去年夏天马友友也在这里进行了演出，这是多么令人高兴啊。这是大的进步。

Q&A
爱德华·库卢尔（Edward Kluhlir）

Q：你怎样定义一个真正的公共场所?

A：是一个公众集会地，是一个与新朋老友相聚的地方，一个能见到大家也让大家见到你的地方；是一个开放、友好的地方，无论哪个民族，不论年龄大小和经济贫富，每个人都能尽兴而返；提供各种各样的文化活动，每位游客都能找到自己有兴趣参加的活动；提供各种活动场地，有游客不能参与的活动，有需要游客参与的活动，也有演出场所，因此游客可以选择一个符合自己心情的地方；所有这些活动都免费。千禧公园就是这样。

Q：千禧公园效应最大的魅力是什么?

A：芝加哥一直是一个伟大的城市，拥有顶级的建筑、公园、博物馆、商场和文化。然而世界上大多数人甚至美国人自己都没有意识到芝加哥的可贵之处。千禧公园的开放作为一个国际事件，将世人的目光集中到了芝加哥这个城市。去年夏天，千禧公园成为了美国第一大旅游目的地。

Q："毕尔巴鄂效应"和千禧公园效应有什么不同之处?

A：在毕尔巴鄂，一幢建筑引起了游人对于一个城市前所未有的游览兴趣。毕尔巴鄂现在正在扩充其美术作品和建筑的收藏，用这些宝贵的旅游资源吸引游客旧地重游。芝加哥建立了一个全新的包括了很多艺术家和建筑家设计作品的文化主题公园，从而使世人的目光再次投向芝加哥原有的丰富旅游资源。

Q：你认为怎样才能培养出一个优秀建筑师?

A：学校应当让各种思想并存，而不是独独推崇美学思想。应该聘请一些建筑师来当教授，以便不会脱离实际。学校应该在大城市里或者邻近大城市，这样他们就能从每个城市或杰出或差劲的建筑中学到东西。他们应该到世界各地旅行，还要做一些兼职，毕业时更有竞争力。

变化中的人与世界

当今世界正在发生巨大的变化。现在亚洲经济总量占世界三分之一，50年以后，亚洲经济总量将占世界二分之一，成为世界经济的重头戏。因此，随着蛋糕的不断增大，所能分到的蛋糕也越来越多。那么，这些意味着什么呢？历史告诉我们，一些世界性的活动可以影响一个国家的发展。

我们再往前看，可以看到设计发展的几个阶段。主要是从创新驱动的阶段发展到财富驱动的阶段。这些阶段是从设计业比较发达的国家主要是西方文化下的欧洲国家的设计发展史中总结得出的。其中有一个国家例外，那就是日本。因此，新加坡、韩国、印度、中国香港有点被边缘化了。但是，看看过去的20年或者15年间所发生的变化吧。我试图在《正在发生什么》这本书中寻找答案，因为我也是书中提到的人物之一，而且出现在介绍美国那部分的首页。在书中我是美国设计的代表。那么，美国设计、中国设计、国际设计到底意味着什么？

陈秉鹏（Eric Chan）是纽约ECCO设计公司的总裁和创始人，曾获美国ID杂志40位美国最具影响力的设计师名誉。他与设计师、研究员、工程师及各方面智囊并肩工作，透过深入了解顾客需要及对产品创意的了解，为客户提供设身而实际的市场策略方案。

当我在设计电话的时候，我并没有什么灵感，就像我在设计第一个电话时一样。因此我在工作室苦苦学习，并思考如何设计一部精美的电话。事实上，可以把东西方的文化元素结合在一起来设计这部电话。重要的不是思考设计这个词本身的含义，而是在设计时所作的思考。如何把中国文化中的精华部分应用于当今的设计，这是当前的一大挑战。

什么是品牌？品牌是人们心目中的一个形象。这是一种体验：当你发现你和某个品牌产生了共鸣，你可以享受这个过程，并且重复这个过程，最终在你和品牌之间真正建立起一种联系。这其中包含着很多东西：你如何买到这个牌子的产品？你了解这个品牌的哪个人物？如何找到专卖店？还有做决定的整个过程。问题在于，人们往往把产品设计当作一个物品，而这远远不是设计的内涵所在。品牌设计不仅仅是一件物品或是一个形象。

比如说手机，手机的销售具有地区性。我们帮助他们寻找有利市场，帮助他们了解顾客的需求。在美国，还有一点需要注意的是，美国的服务商会指定消费者去购买手机。Singular，Verizon，Spring 等服务商都有各自的对于手机的要求。因此对于手机制造商来说，要制造满足所有不同需求的手机是很麻烦的。

在家电领域，举一个冰箱的例子。我们做了很多深入的调查。对于家电，最重要的是实用价值，也就是真正给人们的生活提供方便，体现出更好，更快，更省心的家庭理念。所以我们调查了50个家庭。我们对他们的情况作了记录，让他们完成调查后拍张照片，这样我们就能看到他们把冰箱放在哪里。每一项指标都要做记录，我们从中可以得知每一项的不足，虽然这是一件繁琐得令人痛心的事情。那么，这意味着什么？这将告诉我们如何更加合理、有效地利用空间。比如说冰箱门。人们总是在改变它，而且更加频繁地开关冰箱门。门占了五分之一的空间，这是一个很大的空间，就好比有二分之一的容量而很少有人会充分利用它。冰箱上层的冷冻室在不放肉的时候空间也是一种浪费。因此，我们分析了各种结构的冰箱，并提出了多种设计冰箱的方案。比如底部冷冻的冰箱，与传统结构上下颠倒了一下；有小抽屉的冰箱，你每天都可以打开冷冻小抽屉拿出冰淇淋和比萨饼，而不必把整个抽屉连同冰冻火鸡

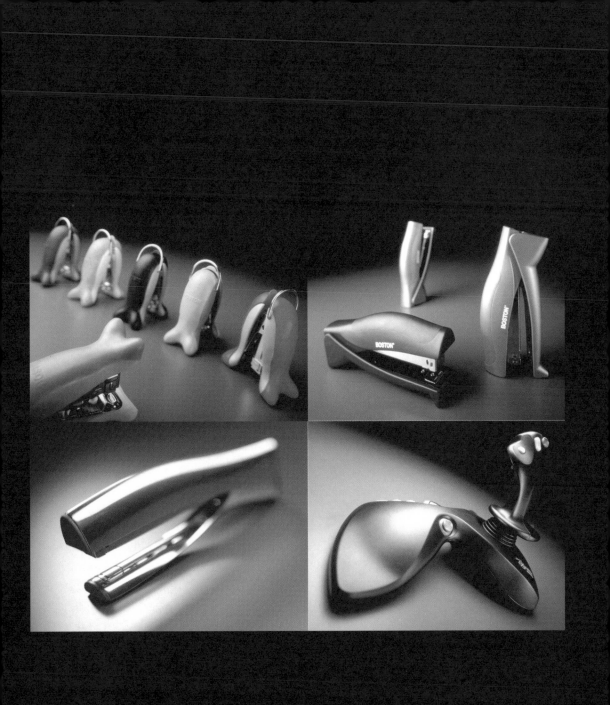

都拿出来。每个细节的设计都有意义。简洁优雅的外表，表面光洁，无杂音，这样的冰箱放在家里很显档次。这些特点也自然都可以称为卖点。

另一个案例研究是爱普生公司。为什么这个颇有历史渊源的公司又东山再起了呢？我想这也有助于我们了解一个问题：世界各国的文化究竟有多少异同？爱普生是一家打印机公司。他们想要研发一个SPC，即扫描仪、打印机和复印机三位一体的设备。世界各国将会对此有何反应呢？这是一个很大的挑战，也是一项庞大的调查工程。我们调查了很多国家，既有东方国家也有西方国家，既有网上调查也有一般调查。我们的调查遍布全世界。我们去拜访不同的场所，看人们如何生活、如何工作，看他们一般把这些设备摆在哪里。我们在一些调查中有很有趣的发现。毋庸置疑，打印机正迅速发展，但是打印图片将是未来的主流。我们其中的一个重大发现是关于美国和日本的，在这里日本代表亚洲国家。在美国，家庭办公室很普遍，有了这个空间以后，你回家以后还可以在家打印、复印，在家用电脑。然而在亚洲，房子都很小，因此你买

的任何东西都是放在冰箱、电视和微波炉旁边。因此在不同的国家要考
虑不同的情况。但是我们可以展望未来，随着技术的发展，打印机将越
做越小，哪里都可以放得下打印机。我们把这个称为：卡特尔现象。意
思是说，打印机可以放在厨房里、车库里甚至客厅中。因此我认为这是
一个世界性事件，随着技术的改变，人的行为也发生变化。

品牌到底有什么意义呢？我们与丰田公司一起做过一些调查。这些调查
是关于对未来的思考，当人们喜欢上某个品牌或是与一个品牌建立某种
联系的时候，不仅仅只是关注产品的性能如何，还会希望自己与这个品
牌的内涵相契合。你代表了何种价值观？你如何阐释这种信念与价值内
涵？其中很多都是关于做一个好公民的道德规范，还有心灵的宁静。你
也希望表现突出，获得成功。所有这些调查给予我们很多启示。因此，
未来不仅是关于产品的性能的，更重要的是能够在顾客的心中牢牢扎
根，使品牌内涵与顾客价值观相契合。
雷克萨斯是一个高档轿车的品牌，他们遇到的一个难题是，人们常常问
为什么他们这个品牌没有什么特色。因此，我们做了一个关于如何赋

予产品以内涵的调查。在我们的调查中，我们最大的发现就是——J现象，也就是日本现象，或者说是亚洲现象。亚洲的奢侈品牌怎么样？它们的地位如何，表现如何？他们还问我，未来的技术将是怎么样的？他们怎样用技术体现品牌的象征意义？

比如说，我不想设计轿车，我想设计一些具有象征意义的东西，那么我怎样利用技术来做到这一点呢？例如，你设计一个与桌子一般高的设备，当你一进家门的时候，感应器能感觉到你，灯自动亮了，设备的顶部有两个按钮，你可以把按钮调到你想要的位置，用来表示你的独特个性。比如说左边按钮可以表示你的妻子，而灰色按钮表示你自己。你可以让它处于运行状态，通过调节按钮，你可以选择各种模式，比如步行模式或者休息模式。同时，你旋转按钮还可以收听不同频道的广播节目，比如你喜欢听德国的爵士乐，而当改变按钮时，你的妻子或许有不同的选择。你不必动手去开关这个设备，因为有感应器。你可以挥挥手，感应器就可以感应得到，把声音调高、调低，或者关掉声音。因此，只要我们想得到，技术都可以帮助我们做到。我们不能被现有的技术所限制，而应该利用技术，使之为我们服务。这就是我们未来的任务。如何完成这个任务既是技术的问题，又与社会环境和我们的理想息息相关。

设计是技术层面的问题，而在当今社会，人们越来越关注产品中的人文因素。我想引用一句李安导演的话，他曾经导演过一部名为《断背山》的电影，是关于美国西部两个同性恋的牛仔的故事。"你如何用真切的感情打动人心？当我在拍摄外国影片的时候，我的灵感一般都是通过四处嗅寻得到的。从某种程度来说，语言并不是问题。你必须四处嗅寻。寻找什么呢？那就是如何才能按照逻辑来设计好你的产品。"

Q&A
陈秉鹏（Eric Chen）

Q：作为华裔设计师，根据你的经历，你如何看待东方文化与当代工业设计的结合？

A：我认为最优秀的设计可以跨越文化的边界。我的美国/中国文化的自然天性和理念——敏感、信仰和价值观同时融入到我的设计中。值得一提的是，中国文化将象征主义置于实用主义之上。语义上的视觉感受和精神意义盖过了对实用性和功能性的需求。中国式智慧的敏感可能不会立即被应用在工业设计里面。要想使这种文化的美与工业设计的功能性需求相结合，还需要一些时间。比例、节奏、形式、坚固性、空间以及并列的概念，在东方和西方都是截然不同的。我从东西方文化共同给我的影响中受益匪浅。

Q：你如何评价自己的设计风格？

A：我并不是特意去创作某一种设计风格。我提供独一无二的设计敏感性，以及对于不同问题的解决方案。我会考虑公司的文化，新的社会需求以及市场跨度，随后提出创造性的解决方案。风格在项目的环境之下会自然而然出现。设计的融合反映了我的思想、诚实以及人、社会和自然之间的和谐。

Q：你认为要想与客户进行有效的沟通，这中间的技巧是什么？

A：客户无论大小都拥有某些亟待解决的需求，而真正的需要就是要理解公司的文化。为了突出表明每个公司的基本目标，从我们一开始建立关系的时候，持久而有效的对话就是极为重要的。科学技术有助于使沟通变得简单，譬如通过电话和网络沟通。另外，我的整体性解决方案是与用户一同工作，融入他们的使命、远景和战略当中。理想的情况是找到一种具有利润回报和社会回报、文化敏感、同时又对环境具有生态保护作用的解决方案。

Q：据说你同时还是一位发明家，拥有许多专利。你认为做设计和做发明两者有什么区别？你有哪些新的兴趣点？

A：发明包括了开创一种独一无二的技术，或者进行一种新的应用配置。而设计则不是关于发明某种全新的东西。相反，设计的目的在于做出某种可见的改变，以产生变化，并影响人们的行为。有效的设计目标是使"每一天都过得有意义。"许多发明都没有被实际投入应用，因为好的发明与好的设计是不同的。我们可以采用一种好的产品或者理念，并使之与不断改变的社会、生态及市场需求相适应。

我现在的兴趣在于把人性化融合到设计产品中，在于那些能够将人们联系到一起的产品，以及为全球性和社会性的问题提供解决方案。

Q：如果让你对中国年轻的设计师说点什么，你给出的建议是什么？

A：作为设计师，你一定要有激情。设计不会让你成为富翁，做设计首先要有特色，要让你自己变得与众不同，不能让自己成为芸芸众生中雷同的一个。做设计，首先就是要树立自己的特色、自己的风格。

源于自然的心灵感悟

建筑师伊娃·基里克娜（Eva Jiricna）擅于以现代的手法将传统材料与崭新的建筑外形和先进的科技融合。她曾和墨尔本博物馆、皇家文艺学院等机构进行合作，她以现代化的方式对建筑材料进行独特的经典使用。她的作品中充满了创新、形式和科技的元素。她在伦敦生活了30多年，在过去10年里，由于她在建筑领域的杰出贡献，她多次受到奖励，1991年荣获皇家设计行业奖章，1994年荣获英联邦奖章，2006年荣获英国建筑协会荣誉会员称号。

我想从自然说起。谈到自然，我认为有许多表达方式。它代表了创新和交流。让我们看看开头这部分，一开始什么都没有，接着是地球，然后是月亮，地球和月亮之间有很大的空间，然后是水，然后是大地。自然本身创造了众多美丽的景观。自然本身具有巨大的创造力和活力，这一切很难令人理解。但是我想说我们自己身体内部也具有这样的创造活动。自然创造了生命，在内部和外部都表现以美丽的形式。艺术创造生命的能力是惊人的。

然后我要谈谈交流。我们不认识那些事物，不熟悉历史事件。同样，一个可爱的小孩拿着一幅画向我走来，问我画上画的是什么。如果你不知道画的是什么，那是由于你和这幅画无法交流。只看到一只鹿，站在树林里，那是一个冬天，一只大雕在它背后飞过。它们在哪里，在同一页上。主要形式是具有创造性的，具有自身独特的特点。它们通过不同的形式、独特的特性在地球上展示自己独特的魅力，就像纽约人在200年前一样。我们的城市也是那样，我们正在毁灭我们的城市。这不是建筑，从任何一方面来讲都不是。有人会给我一本关于维多利亚风格的书，让我们来看看第一次设计是如何开始的。如果我们不知道这一点，那就很难理解。在提到维多利亚时代的设计时你会感到头疼。维多利亚的设计与其他完全不同，从数量上讲，有一些达到了很发达的程度，有一些则不那么实用。

在维多利亚音乐方面，好多年以来，我们一直在筹划一个大的行动，因为在这个时代，音乐是非常好的东西。音乐是鼓舞人心的，只需从政府那里申请很少的钱，只是偶尔，不是所有时候都能这样。我们在想如何把投资在音乐上的钱赚回来，如何让钱流进流出，如何教育人民，娱乐大众，提供欢乐，如何吸引更多的回头客来欣赏我们的音乐。首先我要问如何让他们在早晨打开窗户时听到音乐，让艺术进入屋里。首先我设计了一个旋转门，我们照此建造。我们放了一个捐献箱，是担心有可能赚不到钱；还有一个展品店，可以赚很多钱，因为很多人逛展品店买东西。挑选参展作品是非常难的一件事，因为这些设计都是出自杰出的设计者之手，经过精心筛选出来的。展品店在帮助博物馆发展方面起到了一定的作用。因为展品店里的雕塑作品会吸引参观者去博物馆。

我在过去的25年里，接触到许多房子。人们开始设计的时候，总是从最基本的开始，基本的也是很难的。比如说楼梯，我们设计了一个大的楼梯，然而我们设计得有些过头了，我们试图将那些组成部分最小化，因为组成部分实在是太多了。一次有个人来找我，说他想要我们为他设计一个单独的建筑，他曾经请人设计过很多东西，楼梯、家具等等，他所拥有的任何东西都是经人设计过的。他比较18世纪的中国设计风格后，

改变了主意，摈弃了一切建筑上的不积极因素，于是完全变成了另一种样子。有一次在伦敦我感到很悲伤的时刻是发现一个人躺在不锈钢的器具里睡觉，这是唯一的一次我希望那些材料是软质的而非硬质的。

令人惊奇的是关于楼顶的一个故事。房屋的主人家里的屋顶那层是完全闲置的，所以他想要我们把屋顶改造成一间卧室，我们照着他的话做了。我们把楼顶和通风系统做了巧妙的设计。我曾经碰到一个法国设计师，他设计了一种玻璃公交车，我从未尝试过，据说坐在里面很舒服。还有一个人不喜欢自己的房子，于是将其拍卖。买主想将这个房子拆除，花了很长时间找了一名著名的建筑师。我自己是不会将房子拆除的。他们将科技的因素融入其中，光线可以改变房子的观感，尤其是当日落的余辉照到房子上时。

我们曾经拆除了柏林墙，拆除了一个，又新建了一个，同一个艺术家在墙上画了一幅画，是一个小孩在墙上弄出一个洞，通过这个洞口可以看到蓝天。我们都可以看到，通过我们的心灵。我们住在一个科技的世界，一切事物都要协调地结合在一起。但是这需要巨大的努力、意志、自律和一点艺术天赋。

art shall no
e the enjoy
of the few b
fe happines
nasses

Bruno Taut 1919

modernism

designing a new world
1914 – 1939

Modernism in design and architecture emerged in the aftermath of the First World War and the Russian Revolution – a period when the artistic avant-garde dreamed of a new world free of conflict, greed and social inequality.

It was not a style but a loose collection of ideas. Many different styles can be characterised as Modernist, but they shared certain underlying principles: a rejection of history and applied ornament; a preference for abstraction; and a belief that design and technology could transform society.

Initially, Modernism was largely experimental, but from about 1925, as economic conditions improved, it moved from the sketchbook to the real world. In the 1930s designers were forced to reassess their work, adapting it to the mass market and sometimes even to the demands of Fascism. But Modernism survived, and it remains a powerful force in the designed world of today.

奢华的挑战：
变化世界的心理欲望

我现在负责三个品牌的业务，我想基于我的经验探讨奢华行业现在身处何处，又将走向何方；更为重要的是，我想分享我对于未来奢华行业将面临的三大挑战的思考。

首先，什么是奢华？奢华行业现正处于什么位置？我想显而易见，奢华行业在过去的三四十年中取得了最大的发展，行业规模前所未有，令人惊叹。对于那些不从事奢华行业的商界人士顺便提一句，我在这里主要把奢华当作一种商业业务来讲的，而不是从消费者的角度去看。作为商家，我们需要保证有足够的利润，财富的急剧增长是奢华行业的原始驱动力，不过财富在世界各地爆炸式增长的方式真的令人印象深刻。奢华行业的伟大之处就在于它确立了创新文化的领导地位，这意味着奢华行业构成了一个巨大的行业，它不再是一小股家庭所专有的行业，世界上9000多亿美元的资金投入到了这个行业中。

盖·索尔特（Guy Salter）是高级品牌发展及零售业专家，他的宝贵经验来自于他作为三个奢华品牌总裁的经历，这三个品牌是Asprey &Garrard、Larurent-Perrier及Champagne，目前他是英国一级品牌组成的非营利协会Walpole 集团的副主席，业务专责推广、发展及代表英国超过100个高级消费品牌合作事宜，如英国航空公司（British Airways）、英格兰最佳乡村酒店Chewton Glen、著名时尚品牌DAKS、经济杂志权威Financial Times及著名酒厂William Grant & Sons等。

奢华行业还渗透到了其他领域。比如私人银行业就是一个例子，这个行业从小规模的银行业开始发展成为今天金融界的重要组成部分，为新贵们量身定做，以满足他们的需求。在过去的几年中，我们还看到很多与奢华相关的新行业兴起，比如部分奢华业（fractional luxury），就是向俱乐部交纳会费，成员就可在一年的特定时期分享游艇、豪华汽车或私人飞机。但是奢华行业总是竞争激烈。我不知道有多少人熟悉mastige

这个术语，指的就是介于mass market（大众市场）与prestige market（精英市场）之间的市场，mastige 是这两个市场英文的组合，这个市场的规模是很大的，它略低于奢华市场，却在飞速发展，不容小觑。比如那些时尚品牌，能很快地吸收时尚元素并更新换代，所以对于传统的奢华行业构成了非常大的威胁。

消费者变得令人难以置信地善变，再也没有什么真正忠诚的品牌支持者了。我的意思是说如果一言以蔽之，整个行业从商业角度上讲比较狂乱，当然有一些顶级贵族的奢华品牌公司仍然延用老式的传统行事，新的竞争者不断加入进来挑战这些传统品牌。这是一个非常有意思的时刻，因为这个时刻的奢华行业带有极大的不确定性。

首先，关于奢华品消费者，一年以前我们Walpole集团在不考虑我们合作伙伴的因素下对各种不同市场的一组消费者进行了调查，我们试图考察这些奢华品消费者们是否有着相同的基因或者说他们对奢华品的态度是否由一条主线贯穿，是否有共同点，我们又能从中学到什么。调查显示了很多共同点，但有一点特别突出，这就是欲望的心理因素。实际上，这一个比较简单的概念：作为人类，我们都希望被爱、被尊重，事实上，这是而且以后也都将是人类最基本的需求。一旦我们吃饱穿暖，拥有温暖的房屋以及其他所有的一切，我们就希望被人疼爱。这个道理我们需要牢记，这是理解奢华和时尚最根本的本质。

经过我们的调查，我们发现大抵可以通过将不同的消费者群归类将奢华消费的态度分为4类，然后再根据不同国别深入讨论。一类是意在炫耀的消费者群，他们的购买完全关乎社会地位和身份，使用奢华品牌是为了显示他们的权力，可以称这一组为"徽章组"，相当于掏钱购买身份和社会地位，非常浅显；第二类与第一类相似，买奢华品是为了炫耀他们对奢华的了解，不过这一组较前一组稍加复杂，他们仍然由外因驱使，目的仍然是要显摆，但是他们不仅买奢华品还稍微了解一下品牌的故事和传统；第三类消费者更为复杂，他们对于自己的品位和个性都有更高程度的自信，他们依然想要展示，但是展示的时候更为谨慎，他们并不是为了炫耀，也许仅仅是不想在各种场合穿错衣服，他们会选择那些显示严谨和自律的品牌；最后一类是最为复杂的一组消费者，他们是真正的行家里手，他们并不受任何外力驱使，他们理解奢华品牌，并因为这种理解而感到温暖和愉悦。这类人群之中甚至包含有"行家"级别的消费者，不过他们的希望仍然是被爱，被那些他们所尊重的人比如其他行家尊重。也许这种心理非常微妙，但也不外乎是为了被爱和被尊重。

下面我们来探讨一下挑战。我人为地把这一块的内容分为三个部分：鉴赏力的起伏，科技创新的重新发现以及直觉的回归。

鉴赏力的起伏

鉴赏力就是指人们更加有眼光，知识更加渊博，更加了解情况。在过去的100年中，财富呈几何式增长，也正是这种增长拉动了奢华消费品市场。在100年前，市场上的富人数量极少，可以说是屈指可数，他们是社会的精英，有着极高的鉴赏力，对品牌的要求极为苛刻。随着市场上财富数量的增长，奢华和时尚开始从最初的一小群富人中扩散出去，二

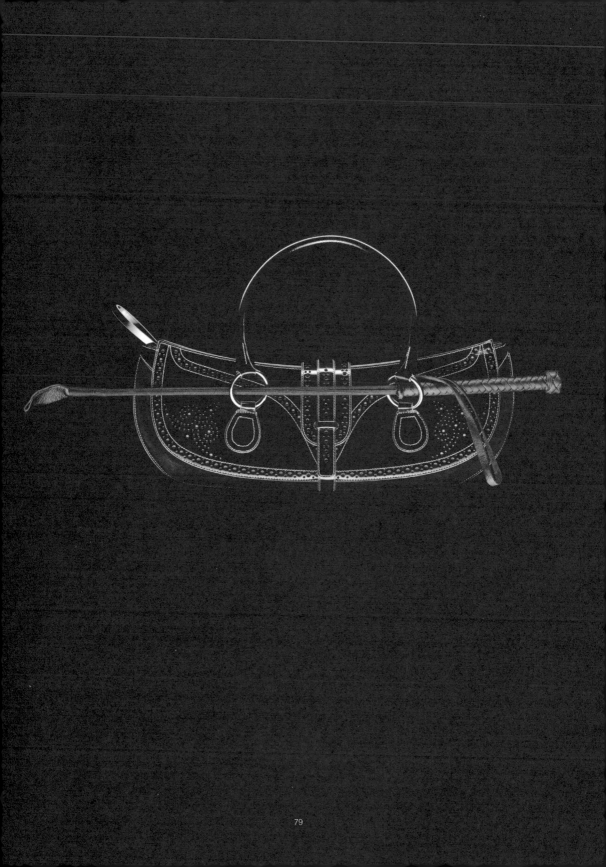

战后呈爆炸式增长，从而"稀释"了先前极高的鉴赏力水平，可以说，现如今就总体鉴赏力而言，鉴赏力水平处于不断下降的趋势。对于未来，我坚信世界会变得更为富有，鉴赏力水平也会最终呈上升趋势。将来一定会有一天，鉴赏力曲线相互交汇，回到100年前的高度鉴赏力水平，鉴赏力上升的速度甚至会超过财富增长的速度，现如今大家鉴赏力的提升速度都非常之快，俄罗斯的消费者仅用了8年或10年的时间就已经非常有品位了，我确信中国大陆的消费者也会如此。

不管近来发生了什么，像印度和中国这样的古老文明，一旦人民变得富裕起来，这里的消费者市场也会走上与其他市场同样的道路，而且速度会更快，我是坚信这一点的。那么这种情形为什么会是一种挑战呢？这对于消费者来说是件好事，可却给奢侈品牌带来了极大的挑战。事实上，过去30年中奢华行业取得高速增长是比较容易的，当然其中有很多理由，但是最基本的原因应该是大量新的奢华品牌消费者的出现，这些新出现的消费者们仅仅是想要追赶潮流，想得到奢华品，想要被人爱，想用金钱购买社会地位，他们不会对奢华品牌提出太多的问题。但是现在这种情况正在发生转变，这是这部分挑战的主要方面，我把它概括为价值和价值观。我最喜欢的品牌Vanity，这个品牌的创始人发现了价值的价值，这样的说法可能会有些奇怪。这样说吧，仅仅是因为一个人变得富有了甚至是极其富有，他不会一下子变得愚蠢起来，他不会认为金钱无关紧要，他们理解金钱的价值，因为世界上大多数的财富都是在很短的时间内创造出来的，这些创造财富的人不傻，你们看到他们在这样或那样的东西上一掷千金，那是因为他们看到了这些东西的价值。价值是极其重要的，你再也不能够在成熟的消费者市场仅靠甩出名牌用粗制滥造的东西糊弄人了。

这个问题的另一方面是价值观。我们应该如何制造运作奢华品牌呢？我们不得不带着一定的价值观去进行奢华品的创造，因为这是消费者们越来越希望看到的。另外还有一个非常有意思的发展现象，你们可以称它为一种趋势或者是一种高于趋势将会持续下去的一种情况，未来可能会称之为新的节制。也就是说，消费者已经达到了这种水平，他们会自问已经有了一屋子的手提包或者满满一橱子的鞋子，到底还想要多少呢，他们希望停一停。这种新的节制并不是像禁欲一样绝对，而更加像是一种自我约束。具有讽刺意味的是，这种新的节制情绪并不意味着消费者不打算花钱了，而是表示他们会更加明智、更加有思考、更加理智地消费，我认为这不是一种时尚反应或者说是一个趋势，这是将会持续下去的现状。消费者们对于购买有了更多的思考，这并不是因为他们的财富减少了，恰恰相反，很可能他们的财富增加了，只是对购买更加理性。

我接着想说，deluxe（豪华）终结了。deluxe是个法语词，就是指法国那种传统意义的奢华，人们会想到法国那些金碧辉煌的餐厅、宾馆、体面的外表、正式的风格，这种奢华理念已经过时了。正如你们在今天早些时候听到的那样，现在的事物已经没有非正式的概念了。你可以穿着牛仔裤、不带领带走进一家价值上亿的商店。这里有一个有趣的例子。在法国巴黎有一家餐厅，这家餐厅已经获得米其林（Michelin）三星，这意味着不可能有餐厅比这家餐厅更好了，因为他们已经达到了最高星级标准，是典型的奢华法国餐厅。但是这家餐厅的主厨Alain Senderens却认为米其林的标准限制了他，因为这种标准过多地注重于餐厅的外观、房间的布置等与餐厅食物好坏根本毫无关系的因素。高档、奢侈、品位这些附加的概念已然超越饮食的本身,成为餐桌上比食物本身还要值得品味的味道,如果食物都不再重要了,指南还有什么意义呢,于是他索性放弃了米其林三星，用自己的方式改造餐厅，把注意力更多地放在改善餐厅食物的质量上，事实上，这带给米其林评审团更多的思考，他们决定重新授予这家餐厅二星。

与鉴赏力提高相关的另外一个因素是遵从的磨灭。奢华品牌一直是建立在这种理念之上的，即我们是时尚的领头人，品位的缔造者，我们处在山颠，而消费者则位于山脚仰视我们；我们领导、控制消费者，我们是引路人和先驱，这种情况将要发生改变，事实上，已经在转变了。今天看来，甚至是在亚洲，我们都在看到这种变化一天天地发生。这并不是说奢华品牌的领导地位一去不返了，奢华品牌作为创新和文化先哲的角色仍然存在，只不过不再是一蹴而就、理所当然的了。这对我们奢华品牌应有的品质有什么启发呢？奢华品牌必须拥有品牌灵魂，要让人感觉这种品牌灵魂是真实存在的，把表面揭开，还可以看到更深层次的东西。奢华品牌的灵魂从何而来呢？就来自诚信的品质：产品到底来自于哪里，是如何作出的，这些问题并不肤浅，有鉴赏力的奢华品消费者们会问这样的问题，如果能够满意地回答这些问题自然就会受益匪浅。比如某种产自特殊葡萄种植园的名酒，这个品牌的葡萄酒仅来自于某一片葡萄园，这一片葡萄园也只种植某一种葡萄，这就是诚信的典范。

当然，奢华时尚业也有新的分支，比如生态奢华业。在我们这个时代，人们希望知道我们正在用正确的方式做着正确的事情，他们希望我们的产品也符合环保标准或者可持续发展的角度。有意思的是，现在我们的时尚奢华行业还不是这个问题的焦点所在，还没有感到来自这方面的压力，更多的是大众市场以及跨国公司处于问题的旋涡中心；不过这同时也意味着我们并没有在环保方面作出我们本应该做的事情，而我们将越来越需要这样做。

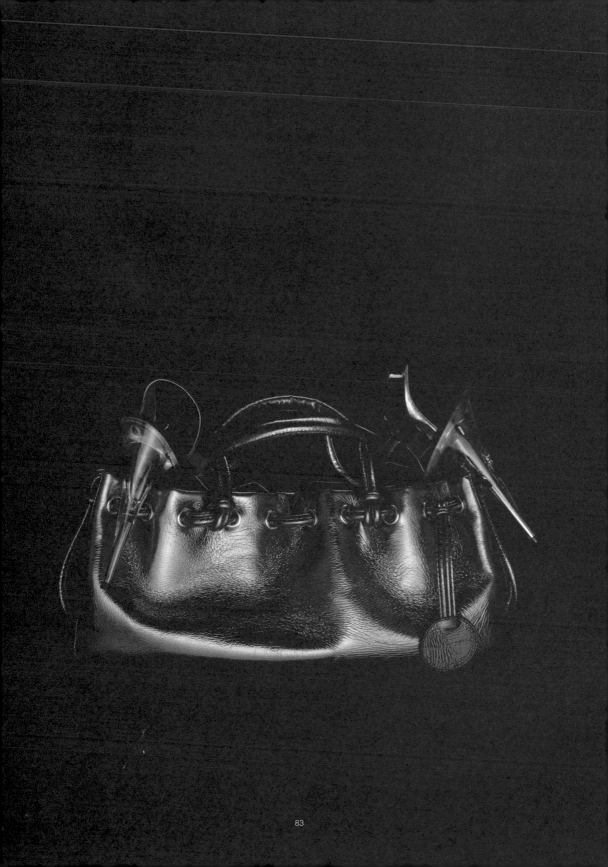

恐怕我不能同意那种认为设计师能拯救世界的理论，不过我的观点倒是与他的另外一个观点相近，那就是创新的理念。如果你想让消费者为你的产品付出更多的金钱，不管这种产品是纯奢侈品、时尚品、精华品还是稀有品，都要创新、创新、再创新，要一直永葆新鲜，同时要用诚信的方式行事，这恐怕超出了设计所能及的范畴。很多成功的商业案例都是用了一种全新的创新方式加上精明的商业运作，比如根据不同市场明智地选择制作手提袋的颜色和材质。我们的奢华行业渐渐摒弃那种一个设计师的名字引领整个品牌行业的理念，或者说，大体来讲这种理念正在衰退。

我认为与此相关的是Tom Ford的一句话，他说创新的领导地位或者说真正的创新并不仅仅是只能够造出新的事物。实际上，我认为正是那些我们造出的新事物在扼杀我们，过去对于我们奢华行业来说，一年仅有两季，后来有四季，现在有了六季甚至八季，我们时刻被必须造出新东西的压力所折磨，结果是我们为了造出新东西制造了一些非常肤浅的东西，这点人们看得很清楚。那么这将对我们奢华业产生怎样的影响呢？我认为会出现奢华品牌分裂现象。当然一些超级大牌如Chanel、Gucci，它们仍然会继续存在下去，即使它们有一季销量不好，它们又会有机会把损失弥补回来，事实上，我甚至认为它们会通过挫折变得更加强大。除此之外，它们还要尽力去满足它们品牌领域中不同消费者群的需求，其实它们已经正在这样做了，它们要满足刚开始接触奢华品牌的人群，他们可能刚买了第一个名牌手袋，又要满足那些复杂的奢华消费行家，他们可能想要那些有异域风情的手袋……这就已经产生奢华品牌分裂现象。有些消费者鉴赏力极高又颇为挑剔和飘忽不定，他们可能会拒绝那些大品牌甚至中型品牌，因为这些品牌不清楚他们到底具体需要什么，他们可能在某一季买了一家吸引他们的品牌，到了另一季又换牌子了，这就造成了有特殊针对性的奢华品牌的扩散发展。对于那些极其富有的人群、那些超级亿万富翁们来说，他们不愿意去买那些别人也买得到的品牌，他们所享用的品牌可能在全世界只有一个城市的一家商店出售。

可以想象这样一种情形，我们到一个城市旅游，买到的东西是只有这座城市才能制造出来，这种情形经常发生吗？非常罕见，因为我们可以在各店看到类似的商业街、类似的店铺。所以小型的奢华品牌可能会发展起来，这些品牌甚至没有专卖店，他们直接去拜访客户进行面对面的销售，或者完全在虚拟空间网络上进行营销，这种做法已经开始出现了。

但是，奢华要保持高额利润会越来越困难，由于奢华业的分裂，已经无法取得以前轻松取得的利润了，大品牌有相当的实力，并把它们的品牌推广到了世界各地，但是一些小型品牌将举步维艰，除了那些有针对性的小型顶级奢华品牌之外发展都是极其困难的，最为艰难的是夹在中间的中型品牌，它们的市场将进一步缩水，受到挤压，生存难以维继。

奢华与科技

现在世界上的大型奢华品牌多是历史比较悠久的，它们在100多年前甚至更早以前就已经创立了，那时它们正处在尖端科技的最前沿，享受着科技带给它们的利益。比如路易威登，高级鞋类制造商，它们最先开始制造轻型便携旅行包，你们在现在看来可能觉得它是比较经典怀旧和优雅的，但在那时则是革命性的变革和创造。事实上，很多奢华品牌最初都享有极大的科技优势，而今天，这种情况恰恰相反。我们的奢华品牌大多数都把重点放在精细的做工上，强调更为无形的因素，而与此同时，世界正在把用先进技术制造出的高质量产品带入千家万户，所以奢华品牌的消费者们变得越来越怀旧，他们愿意出钱购买的商品往往是那些用传统老式的方法制作出来的东西。

首先，关于知识经济。在当今的条件下，要找到事实的真相非常容易，我们根本无处躲藏，人们会发现产品到底是在何处制造的，是如何制造出来的，所有事情明明白白、一清二楚。与此相关的一点是关于互联网上世界和网外世界的争论，网上世界和互联网之外的世界哪一个更为真实呢？我认为，网上世界与网外世界一样真实，甚至比网外世界更为真实，因为互联网是我们生活的延伸，我们每天花很多时间在电脑旁，因为我们知道在电脑的那一端是实实在在的人。所以，奢华业长期以来忽视科技现象是非常错误的。像"第二生命"（Second Life）等新生事物很容易让人忽视，认为这些仅仅是年轻人的一时狂热，只是年轻人的一种文化现象，但事实绝非如此。在这些科技现象的深处是关于人与人之间的联系及社会网络等一些非常真实和根本的东西。6年前我曾参加过一次奢华行业的大会，会上大家都说网上经营不适合我们，但是所有研究调查都表明，越富有的人在网上呆的时间越长。事实上，一些奢侈品牌网上运营良好，在他们的网站上既可以进行交易，又方便使用。

还有科技给奢华带来的根本挑战，我就拿ipod举例吧，ipod今天已经被多次用来当例子了，ipod产品都是比较低价的，但是它可以为客户量身定制，客户可以作出自己独创的音乐与朋友分享，这是传统的奢侈产品所无法比拟的，像手袋，都是用传统的工艺精制而成，很难去为每个客户量身定制，当然，有人会找到奢华品牌指名定做，但也不过是改变一下皮革的颜色或者花边的形状，所以这方面是奢华业的真正挑战。我并不是说传统的奢华业要提供像ipod科技产品那样所具有的灵活适应性，但是我们应该更加明智地应对这一挑战，仔细思考如何能使我们的产品与那些简单的科技产品所带来的灵活性相媲美。

直觉的回归

人的直觉，是基于人的重要性这种理念，要以人为本，感觉到人的中心地位，并明白如何与人发生相互关系。作为奢华品牌，一定要确保我们的所有考虑都是以人为中心的。例如以前的一些家族式经营的商店，他们了解他们的客户，直到他们的生日，甚至连客户的孙子的生日都知道得一清二楚，他们真的是把人当作实实在在的个体去用心理解，但现如今，商店遍布世界各地，用钱可以买到一切东西，我们真的不了解我们的客户。我有一位朋友，她是一个名牌的忠实客户，在伦敦的所有这个品牌的商店都与她熟识，可是当她去纽约的这个品牌的商店时却受到了冷遇。

世界财富还会继续增长，我们能否重拾我们理解人性、与人沟通的能力呢？我对消费者们的鉴赏力提高持肯定的态度，我非常确信他们的品位一定会提高，但是相比之下，我却不确信我们是否能增强我们在与人打交道方面的能力。有位老人是我以前曾工作过的Asprey & Garrard的老员工，他在这家公司已经60年了，他每天的工作就是站在店门边向顾客打招呼，他认识每一位客人。当然，我们是不可能回到这个状态了，这是不可能的。但是也许我们可以尝试去了解每一位客人，关心他们。我们的奢华行业在过去的30年间所采取的各种市场营销手段都把重点放在了广告宣传、时装秀以及名人效应方面，旨在显示我们有多么强大，多么有实力，让客户仰视我们，然而我认为这不会让顾客们感觉到任何温情。我们品牌所带来的震撼力可能会驱使他们的购买行为，但是我不认为这种市场营销手段会持续有效。有个数据显示了人们对于不同市场推广手段的信任度，最低的是汽车销售手段，2001年人们对广告的信任度仅有3%，而我们却把那么多的资金用于广告宣传上，这并不是好的投资方法，相对于广告，那些朋友们的推荐和良好口头声誉影响更大，如果我们能在这方面加以改善，那么我们更有可能取得商业成功。

因此，我在这儿的意思是说零售行业传统的投资方式存在缺陷，并不是说这种投资不再产生效用了，但是你可以想象，每个人在销售店中停留的时间是有限的，现在大多数奢华品销售店的设计都是非常壮观，意在使人印象深刻而不是从建立与客户更和谐的关系方面考虑。事实上，当你发现店里的服务人员盛气凌人、高傲自大时，你就会离开这家昂贵的店铺，而且你对这个品牌的感觉更差了。

我们每天都要上网，其实我们可以用因特网来构建这种社会网络，我们可以通过网络与我们的客户进行交谈，试图去理解他们，这样我们可以更多地进行友好的一对一的对话，因为客户们坐在家中，心情放松，平易近人，我们也不会想施加什么影响，只是非常亲近地谈一谈我们的品牌。事实上，我们可以运用网络这种新的媒介施展刚才图片中那名老员工的人际交流能力。我们应该怎样做呢？我们必须找到一种方法能够运用新的媒介。"第二生命"实际上就是一种虚拟生活，你在这个网址上可以过这种虚拟生活，事实上，这种生活相当真实，你要花费实实在在的金钱，你可以在上面开商店，建房屋，甚至做爱，这听起来真是让人难以置信。不论如何，重点是我们要找到利用网络这种新媒介的方法，利用人们都要上网的这个事实以及那个老员工老式的交际能力，这样，在我们的奢华业感到受到严重威胁时，广告不再有效或不如以前有效的时候，我们就可以通过社会网络以及为客户量身定做的软件使得我们的产品更加适应每一个个体，这才是问题的本质。

很显然，对我们的整个行业来说，对于我们生活的这个充满变化的世界来说，是没有这样一个对任何时刻都适用的统一的模式的。但是我们却可以找到一些永恒的真理。我们需要记住的最重要的一条永恒真理就是我们前面所谈到的人的心理欲望，作为人，我们都渴望得到爱与尊重。我认为其中主要的方式是重申人的重要性，我们需要聆听他们的声音，我们要他们参与进来，与我们的奢华品牌对话，这是一种更为复杂的以人为本的方式。如果我们能够在今后10年内做到这点，那么我们一定会有一个更为光明的未来和更为辉煌的时代等着我们。

Q&A
盖·索尔特（Guy Salter）

Q：现在几乎人人在谈论奢华，在你看来，奢华意味着什么？你怎么定义豪华这个概念？豪华品牌和普通品牌的区别在哪？

A：首先，奢华这个词现在人人在用，连星巴克也在说要打造奢华咖啡。人们纷纷追求奢华生活。我觉得这个词被用滥了，用得很不准确。第二点就是，消费者是很有眼光的，他们知道什么是真正的奢华，消费者明白"奢华"这个词的真正含义。有些人把奢华作为一般的概念和奢华作为商业的一种模式弄混了。他们把奢华看作是山上的新鲜空气，以为是免费的。从个人角度看，这也不算错；但从行业的角度看，这就不对了。如果你观察一下系列产品中的高端部分，你就会发现，它们总是比普通产品价格要高。

Q：当奢华品牌进入国外市场时，毕竟它们会进入一个完全不同的文化环境，它们都要为此作些什么样的准备工作？

A：进入其他的文化市场，这些准备至关重要。现在，越来越多的品牌变得国际化，无论是奢华的，还是面对普通消费者的。这样，它们就要适应新的文化环境，这点非常重要。就拿手提包来说。亚洲市场的手提包就和欧美的不同，型号要小一些，因为一般来说，亚洲妇女的个头比西方妇女要小。同时，在亚洲，手提包更多的是作为装饰品，因此要更注重外观，比如颜色之类的。虽然营销的原理、品牌的内涵在各地是差不多的，但是，当品牌进入不同市场时，它们的确要作出调整。

Q：相同的品牌、相同的形象，却要适应不同的市场，不同的文化、语言环境，请问它们是如何做到这一点的？

A：它们一般做的是细微的调整。营销、商店氛围之类的，都是差不多的，给人的感觉相似。但产品种类就会不一样。比如说，日本消费者很在乎Gucci是哪里产的。实际上，大部分Gucci都是西班牙产的。但西班牙产品在日本卖的不好，日本人喜欢法国产的Gucci，认为那才是真正的Gucci。作为设计师，我们需要将这些因素都考虑进去。如果你想在奢华行业立足，你就必须要有自己的品牌。即便你是个小企业，光有产品、光有设计也是不够的。

Q：关于设计专业的教育，你认为面临着什么挑战？
A：设计专业教育的问题，首先就是没有足够关注商业因素，没有把营销等环节考虑进来。另外一个问题是，许多业内人士把设计看作了全部，似乎设计能拯救世界，这种看法完全没有道理。设计的确是重要的，但说到底，设计必须和别的因素结合，才能发挥作用，否则它就什么都不是。而且，因为如果仅仅是设计对了而其他环节都错了，最后的结果将是灾难性的。

Q：你认为除了产品的不断发展，未来奢华品牌的营销方式会向什么方向发展？
A：我认为奢华品牌可以借鉴Amazon网站的营销方式，与消费者建立起与顾客的双向的对话。如果你登陆Amazon的网站，它会根据你以前在该网站的活动，识别出你的习惯，知道你订购了哪些东西，并向你推荐产品。大众营销领域在利用软件进行网站设计方面，有许多先进的做法，让网民个人能够主导互动。比如，如果一个顾客登陆Gucci网站，他不但可以看到网上商店，这部分对所有人都是一样的；而且还可以看到个性化的网页，这是专门根据他以往的惯常做法以及他的个人喜好设计出来的，可以看到自己真正感兴趣的Gucci。而且，通过那个网页，他还可以和别的有相同喜好的顾客，进行交流。这样的话，就和顾客建立起了双向的对话关系，而不是单向的。

现在，一般商店的交流都只是单向的。顾客进入商店，浏览商品，喜欢就买，不喜欢就不买，然后离开，这就是单向的。而我们希望的是，顾客可以和我们进行交流，互相学习，这就是我所说的要有"黏性"，顾客和我们在一起的时间更长一些。"黏性"越大，顾客就越感到自在、熟悉，更享受这种氛围，更加方便。

21世纪的旅馆

以前的旅馆只提供最基本的生活设施，一两间房子，一张床，一台电视，能看懂的只有两个频道，一个可供洗漱的地方。可是，到了20世纪下半叶，大型客机出现了，坐飞机的费用很便宜了，人们生活越来越富裕了，国际旅游业迅速发展起来，旅游的人们比以往任何时候都多，旅馆的竞争也自然更加激烈。

刚开始的时候，旅馆的设计可以称为"填充式"，房间里的东西越来越多，路易斯的家具，被褥，休闲枕头，还有其他奢侈品。客厅变成了艺术博物馆，卫生间也装饰一新，像是好莱坞的布景，没准哪个明星就从里面走出来……但是到了20世纪末，旅馆经营遇到了困境。"填充式"的设计方法究竟能支撑多久呢？当你往房间里填充的用品过多，旅客都不会去用的时候，就达到饱和了。当时旅馆业举步维艰，必须寻找另外的方法与对手竞争，来吸引更多的顾客。最后找到一个方法，那就是自我定位、设计自己的品牌。就是在这样的背景下，Banyan Tree成立了。

20世纪80年代末，我们在泰国的Phuket Laguna购买了一大块土地，大约有3000米长。在那里我们创建了第一家旅馆，经营Laguna地区的业务，有225间客房；后来我们又建立了Laguna沙滩度假村，有265间客房；最近我们开创了Sheritan Grandstay，350间客房。最后是Alamanda，一个度假村连锁，大约有100家店。尽管我们对自己的这些

Ho Kwoncjan是Laguna Resort & Hotels 的执行董事，还是Banning Resort 的副总裁，Banyan Tree集团的项目经理和首席设计师。他是世界著名的旅馆和度假村设计家。他生于新加坡，在曼谷长大，现在居住在新加坡，他的Laguna Phuket Resort（布吉岛项目）是亚洲第一家综合度假村，获得了很多环保方面的大奖。

旅馆感到很骄傲，但它们还是拘泥于传统的样式：老式的客房，共用的走廊，所有的设备集中在中部，方便服务。我们也遇到了同样的困境，再也没有什么东西可以往客房里放了。当我们开创了Laguna的旅馆后，决定创建一个自己的品牌——Banyan Tree品牌。我们想尽各种不同的方法，对旅馆进行设计，摆脱传统的束缚。

对旅馆的选址也应该在设计范围之内，就像是一个画家在下笔之前总要审视画布一样。我们在全世界范围内搜寻风景优美的地方。但仅仅选择了好的地点还不够，还要开发每个景点的潜在优势。例如在Bintan，我们发现了一个地点，树木环绕一圈，我们就在那里挖了一个环形的游泳池，从那里可以远眺大海；在Sayshells，我们在正对沙滩的地方修建我们的旅馆，从大厅就可以看到沙滩，那个地点非常好；在丽江，我们在正对雪山的地方修建客房，给旅馆增加情趣。

这些都是可以做到的，因为我们有一个新的发明，叫做Buggy，游客可以通过电子选景来决定到旅馆的哪个地方去享受时光。那么大的一个地方，吸引人的地方不可能全部集中在一起，但是有了Buggy，我们就可以很方便地做到。前一阵子，我测量了Phuket的房产，它一直在发展，发现它长达1.3千米。一个传统旅馆不可能将战线拉那么长。有了电子的Buggy，我们就能够充分利用所拥有的每一处美景。我们可以在一个很远的地方开饭店，因为那里有一片优美的湿地。我们无需像以前一样，把所有的东西集中在一起。如果要说21世纪的旅馆有什么革命性的发展，那就是这个电子Buggy。

是旅馆也是剧院

旅馆的功能早已不仅仅是一个睡觉的地方，旅客可以在这里观赏景色，同时也被别人观赏，可以在这里流连、漫步——正如莎士比亚所说，我们完全赞同。你们可能有兴趣了解旅馆里的各种术语，例如前厅、后房，其实是以前剧院里常用的。我们对旅馆进行设计时，会保留原有风貌。例如，别墅的旁边，有一条路通往水边，但是你无法真的沿着那条路走到水边。然而那条路的存在本身就好像保留了一种仪式，让使用者有一种参加某种仪式的感觉。同样，有时我们把大门建成城堡的样子，有时在卧室前修一条水上通道，等等。其实，我们是想通过形式各样的大门和小径，创造一种"可折叠的空间"的效果。例如，在我们新开的丽江分店，一进门是外层的庭院，你可以模模糊糊地感觉到远处的事物，但看不真切；当你走进第二层庭院时，就好像眼前掀开了帘子，你能看到的东西多了起来，你可以看见第二道门是一间房子的形状；最后，你穿过第二道门，走进第三层庭院，看见一间客房正对雪山而立。

有人说庭院是典型的亚洲风格的设计。但是我们认为庭院不仅仅是建筑物前面的一块空间，它给旅馆提供了展示自己特色的机会。我们在庭院中间留了一池水，安上喷泉，晚上会在那里燃放烟花，周围种植了松树。将建筑物作为上演戏剧的场所来装饰，我们设置好布景，让客人们自己表演。

房间是梦幻之地

在房间，你的所有梦想都能成真。我们曾应一个顾客的要求布置了一个

称为"缠绵的瞬间"的房间。那位客人吃完晚饭回到房间时,发现屋里遍插鲜花,地板上烛光摇曳,营造了一个浪漫的夜晚。

我们在仔细装饰旅馆外部的同时,也特别设计了每个房间,岩石、树木等等,让每个房间都有美景可欣赏,并且让客人对环境产生由衷的敬重。经过我们的努力,每个房间都有不同的景致,或是远处的大海,或是地平线,或是海湾,或是远方的山峦,或是市区的景色,或是湛蓝的水面。如果无法使房间面对美景,比如只是索然无味的地面,我们就转向室内,强调房间的隐秘感。Phuket分店的大部分房间都没有美景可欣赏,因为那里地处内陆。我们砌起了高高的围墙,种植了一个花园,修建了大大的游泳池,客人们在里面做什么都可以。我的母亲83岁高龄了,有一次在我们的客房里住,晚上穿上比基尼跳水,之后她告诉我再也不想穿正装了,让我们全家都大跌眼镜。

关于如何创造梦境,我要谈谈卧室里的床。有的床像一个高高的祭台(当然我们不会把客人当作祭品),有的床让你好像穿过一个长长的队伍,最后达到最高点。有时,我们会把Phuket的客房的卧室移到外面的水塘边,罩上一个大大的布顶棚,像帐篷一样。还有一次我们把床铺在了地板上……

也许是因为我们起源于东南亚,我们对水情有独钟,很多地方都用到水。有时我们在房屋周围修游泳池,有时把池塘里的水引到房前。最有趣的是,我把游泳池直接建在一排客房的卧室跟前,客人可以直接从卧室"扑通"一声跃入池中。我们把浴缸搬到室外，在里面洒满花瓣，周围点上蜡烛。我们有一个泳池可以俯视海湾，泳池本身也成了一道风景。

浪漫的Spa

大家可能还记得以前的Spa（美容院）是什么样子的。粉刷得煞白的房间，很多面目狰狞的设备扑面而来，一张皮制的床，美容师像护士一样，整个地方像是诊所。我们完全颠覆了传统美容院的形象。首先，我们认为美容院不是一个单纯的护理面部和皮肤的地方，它应该是一个休闲、享受的地方，而且应该是一对爱人一起享受的地方。我们开创了针对夫妇俩的美容院，在美容间里摆放两张床，夫妇两个可以一起享受。与以往诊所式的美容院不同，我们把美容院移到了花园里，周围是花花草草，还可以眺望大海。整个房间充满了浪漫的气氛，连海龟都会产生感情。

历史的记忆

不要忘记历史，尤其是我们是从亚洲发展起来的这段历史。我们在尝试各种不同的建筑风格，泰国风格、中国纳西族风格等等。在西藏的Ringya，我们更进一步，从当地农民手中购买老式的民宅，将这些房子拆分，在我们自己的地基上重新盖起来，当然我们改动了室内的装饰，但室外的样子我们基本上不做改动。我们唤起客人的怀旧情怀，而又避免了机械地模仿。要达到这个目的不是一味地增加东西，而是提炼出最必要的元素。

Q&A
霍孔锵 （Ho Kwoncjan）

Q： 在做酒店和休闲项目的设计过程中，通常需要着重考虑的因素都包括哪些？

A： 最重要的因素当然是客人的需求、客人的要求和客人的梦想。简单说，就是我们要替客人着想。其余一些基本的要求我就不用说了，都是一些很技术层面的东西。要知道，我们这些设计师总在替客人造梦，假如我们很喜欢某个设计的话，那么我们知道大多数客人也一定会喜欢。所以我们常常从客人的角度思考：他们喜欢坐在水边吗？他们听得到风声和水波的声音吗？……如果他们有任何梦想，我们一定会为实现他们的梦想而设计。

Q： 从你的演讲中，我发现你们很重视一个项目的选址。你能否谈谈在选择地点和环境时通常依据的一些原则吗？

A： 基本的条件是不应该离国际机场太远，这是技术层面的要求了，最远乘车不要超过两个小时，我们的理想要求是半个小时之内的车程。
另外，我们会选择那些完美的环境，最好是自然的、没有被破坏过的环境，而且，还要有漂亮的风景。当然，事实上这些条件是并不容易被同时找到的。

Q： 作为品牌，**Banyan Tree** 有着明确的设计理念。当然，你们的项目也的确很多，比如在漓江、三亚和西藏都有休闲娱乐和酒店的案例。请问，你们如何在设计过程中去保持品牌应有的统一性，同时又尊重不同项目的差异性？

A： 当然我们有一些标准。例如，近年来我们的别墅设计都会包括游泳池，会含有一种带水的环境，除非是非常冷的地区我们会放弃这种想法。你可以看到我们在三亚的别墅设计都遵循着这样的理念。当然，这只是其中的一项标准。除此以外，在房间的大小上、在房间的床的尺寸上也都有相关的标准，这些都可以确保Banyan Tree设计有着一脉相承的品牌精神。在标准以外，我们要求的是一种魔术，一种超然的感觉。

Q：你能否通过案例来说明在一些项目的设计过程中，你们是如何基于当地的文化和特征元素作开发的？

A：我看最好的例子就是漓江。因为我到漓江的时候，看到他们传统的纳西建筑风格很讨人喜爱，可是我又觉得不能直接转用，因为他们的作用和我们项目完全不同。例如，漓江古城里的房子，小小的，一座一座的，每个房子的外表都会有所不同，这是他们的可爱性。而我们的酒店每一座很大，差不多是那种小房子的四五倍。如果再采用类似的建筑风格，就会很单调。所以我想到了借用当地建筑风格中的抽象元素，最后我用一条代表纳西传统建筑的弧线作为酒店房顶的特征元素，并以此与当地的整体环境相融合。我认为，借鉴传统要把过去的元素融入到现代设计中，寻找各种不同的方式，而不能一味照转。

Q：你所从事的行业中最需要怎样的人才？对于培养人才有什么建议？

A：我们需要有创造性的、有思想的、可以做分析的人才。当然，我还可以提出有关人才需求方面更多具体的条目。但是，我认为最重要的一点是设计人才应该具有国际性。很多人只了解自己国家的文化，而对于国际性方面的知识知之甚少。我建议这些人有机会可以留学学习第二语言，甚至是第三语言，并在这个过程中去感受不同地方的人的生活方式和习惯，扩大他们的国际视野和生活体验。

设计美梦，奢侈品的起源

很多奢侈品牌都有非常悠久的历史，有的几十年，有的几百年。早期的经验积累成了这些品牌成功的秘诀和特色，这些品牌具有世代相传的特点。祖传秘方是产生灵感的一个有限来源之一，有些时候能够给一个品牌带来新生。每一个创新性的设计都尽可能地从祖传秘诀中寻找元素，并且加入现代人的热情和消费观念。实际上，主要是从品牌的历史中寻找一些理念，把这些看似古老的元素注入到现代产品的设计中去。

Christofle是著名的服装品牌。该品牌请我们为之设计一套新的饰品，一套男女皆宜，永不过时的饰品，可以参照Silver Lodgers 不同时期的设计。一开始，我们问自己：Christofle最有名的图标是什么。我们首先就从这个图标开始，进行了一些调查研究，我们发现这个品牌一个很鲜明的特色就是复古的设计图案。这是一个很好的开始，将该品牌的历史和现状联系在一起。Agant Sliff 的设计最能体现洛可可风格。洛可可风格起源于18世纪早期的路易十五统治时期，这一讲究华丽点缀的设计风格是伴随意大利文艺复兴而产生的。我们从提取、玩味原先的设计图案开始做起，然后进行重新设计，对图案的结构进行改造，使之适合任何形状和任何大小的物品。最后，一套新的设计出炉了，包括：便携式化妆镜、钥匙圈、飞盘、像框等15件产品，都是以同样的设计风格推出。这套产品的主要理念是，推出设计简洁、永不过时的产品，将两个年代的人联系在一起，而复古的设计图案就是这一联系的纽带。

让·马克·加迪（Jean-Marc Gady）是法国著名的多才多艺的设计师之一。他一直致力于奢侈品的设计，主要从事室内及产品设计、舞台设计、视觉营销等。他在2005年创办了自己的公司，并与一些知名的奢侈品牌进行合作，比如：Louis Vuitton，Moët Chandon，Apple，Baccarat和Christofle。

Moët Chandon是世界知名的香槟酒品牌。每过七八年，Moët Chandon就要改变所有产品的包装，主要目的是在全世界树立一个更为鲜明的品牌形象。这就是它的新形象，系着黑色与金色相间的丝带。我们对它的圆环很感兴趣，这是一个较为常见的品牌形象元素。这就是产品外形包装的改变，受这个圆环的影响，我们设计了这个围绕瓶口的宽丝带。这个瓶子的底部非常好拿，还重新设计了每一个香槟酒品牌都会有的箔片装饰物，Moët Chandon称之为钻石扣。这是一个小细节，却真正体现出该品牌的人性化和形象的更新。我们设计其他产品时也是遵循同一种风格。瓶子透着闪亮的光泽，由黑色玻璃制成。托盘是铝制品，中间和周围都经过精心设计。我们试图让每一种产品都体现出同一种风格。该系列还有一个特点——大酒桶是双层的，还有用于夜晚酒吧的酒桶。Moët Chandon希望顾客从吧台走到自己座位了还能看到这个酒桶，而且能很方便地提着它挤过密集的人群。对于这种酒桶来说，主要是为了能够在酒吧中看上去更为显眼，因此选了这种在夜晚能够发光的材料。我们还根据酒吧大概需要的瓶装酒的数量来设计酒桶的容量。

另一个例子是我们为路易·威登（Louis Vuitton）所做的设计。该公司持之以恒地挖掘自身的历史积淀，并且不断地为未来进行创新，非常令人敬佩。他们有很多灵感的来源。首先就是公司的创始人路易。他于1854年创立了该公司，他不仅掌握了高超的技艺，而且进行了大胆的创新。在该品牌庆祝创立150年时，我们把他的照片贴在了每一个窗户上，这是非常流行的庆祝方式。我们将他的照片制作成了12米高的大幅海报，放在透明的玻璃大楼的窗户后面。在东京、巴黎，我们都展示了Louis Vuitton的肖像，使他的形象几乎无处不在。

在大胆创新和墨守成规之间，奢侈品设计必须综合把握两者。但是，遗憾的是没有什么秘诀。

Q&A
让·马克·加迪（Jean Marc Gady）

Q：除了产品之外，还有许多因素会影响品牌的创立，比如服务、室内设计、宣传等，这些因素应当怎样结合起来，来创立一个成功的品牌？
A：我们当然应该把公司里的每个人调动起来。最重要的就是产品有一个良好的环境。产品的成功就在于通力合作。在我看来，营销人员应该放在设计者当中来看待。营销人员对于他们在推广的产品有很好的认识，对于顾客有很好的认识。而设计者则可以把这些营销人员的经验以及他们提出的问题整合起来，提出对策。

Q：您觉得是设计产品在领导潮流，还是消费者的需求在决定设计？
A：这个问题比较难回答。可以肯定的是，设计潮流不是由奢华品牌决定的，潮流来自普通消费者。你经常会看到，简单普通的设计变成了行业的代表。但是，另外一种说法也对。奢华品牌的确在创造出全新的潮流，这种潮流未必是当前的，它可能是在不远的未来，比如两年后。所以，两种说法都可以成立。

Q：价格是评定奢华品牌的标准吗？
A：奢华品牌总是稀缺的，它是由非常专门的技术制造出来的，因此总是很昂贵。总的来说，奢华和人有关，和人的心理有关。人们在享受奢华产品的同时，也在享受奢华的服务，奢华的生活方式。所以评定奢华的标准是消费者是否可以享受消费的全过程。

Q：您觉得当前设计专业教育面临的最大挑战是什么？您觉得年轻设计新手面临的问题是哪些？他们在学校应该学些什么？
A：从专业的角度看，我觉得设计专业的教育主要是要培养个性。在学校时，当然要学习技术。但是，非常重要的还是发展个性。设计者要注意周围的人事，从中得到启迪和灵感。我们要高度重视从周围事物中得来得启迪和灵感。不仅是设计这样，别的专业如摄影等也如此。

与鞋结缘

周养杰（Jimmy Choo）是国际知名的鞋履设计师及工艺卓越的鞋匠，也被尊称为周拿督（东南亚的专有荣誉头衔），周教授。自1986年以个人创立自家品牌后，现已成为众多名人及皇室成员的御用设计师。他现在的身份是，英国文化协会的发言人。

为什么我会做鞋子这个行业，是因为我爸爸是一名鞋匠，我从小的时候，就看着爸爸、妈妈、姐姐一起做鞋子，我想这大概也是中国人的一个传统，喜欢全家人一起做一件事情。我当然也参与了其中，一开始是被迫的，后来就渐渐有了兴趣。

在我20多岁的时候，我有机会到了英国去旅行，本来只是看看风光。后来无意中知道了CORINER COLLEGE 这所做鞋的学校，我在朋友的强烈推荐下，跟校方取得了联系，并取得了一次参观的机会。我被当时该造鞋业的全机械自动化深深吸引了，以前在马来西亚，我们都是用手工做鞋，如此大的场面我是没有见过的，我就问校长说，能不能收我做他们的学生？他们用很怀疑的眼光打量着我，问我有没有文凭证书之类的东西，我马上打电话回去给我爸爸，让他说服校方，收我做学生，扬言我日后肯定会为他们增光之类的话语。最后我被录取了。进去以后，因为我有过扎实的造鞋功底，加上新学习的设计理论，我的作品很快就得到了大家的认可。2年之后，我顺利毕业了，并进入了当地的一家鞋厂，可是做的并不是设计师的工作，而是一些最底层的杂活，扫地、帮老板冲咖啡，我都做。因为我明白，在学校学的只是基本观念，到市场上学到的才是真本领，看他们如何接定单，完成，再接下一个定单。这个过程里面，因为我不怕吃亏，很多老艺人都愿意教我很多新的技能，我进步得很快。

两年后，我离开了这家鞋厂，开始了自己的生意，因为一开始资金不足，很艰难，我们在一个废旧的工厂租了一个房间来做工作室，很便宜，一个月50镑。一开始，是帮一个已经出名的年轻设计师做鞋，我开始在不同的杂志上看到她的名字。《VOUGE》《ELLE》等等，我没有觉得不平衡，因为她给了我学习的机会，我有幸在她身上学习了很多知识。后来我觉得我应该创立一个自己名字的公司了，于是我提出了辞呈。有一个很有意思的现象，在我生命中，帮助我的贵人都是女性，在伦敦服装周上，我有幸为两个女设计师设计她们出席活动的鞋子。令我万万没有想到的是，我的鞋子被《VOUGE》的艺术总监 KATE FELLEN 发现了，并致电问我愿不愿意把我设计的鞋子放到她的杂志上面做特别报道，我当然欣喜若狂，上了《VOUGE》，就相当于登上了全世界最顶级的时尚殿堂。在以后的三年里，我的设计不断地出现在各大杂志和期刊上面，也有很多大的牌子像PAUL SMITH找我帮他们做鞋。尽管我在英国的时尚界已经小有名气了，可是经济上还是不太宽裕。

时尚是用钱堆出来的，我一开始走进英国的银行，信贷经理都用白眼把我赶了出来。再过了2年，我接到了越来越多的顶级牌子的定单，于是我再次走进银行的信贷部，这次我终于借到了5000英镑，虽然是5000英镑，但一下子就用完了，时尚真的是很烧钱的一个事业，已经完成的定单货款暂时还收不到，我又陷入了经济的窘迫时期，那段时间，我每天都吃公仔面（方便面），还有香港很多的鸡面，吃到我做梦都被鸡追着跑，这样的日子又过了几年，随着我的名气越来越大，财力也渐渐积累起来，后来我觉得时机到了，就把家里以前做鞋的工人叫来英国，开始生产属于"JIMMY CHOO"的鞋子。一开始是无人问津，后来我意识到，我应该把鞋子的价格提到一个高度，在时装界，有时候价格就等于品质的保证。于是我的鞋子从一开始的3镑一双门可罗雀，到英国那些贵妇和官员等着和我预约做500镑一双的鞋子。

回首我走过的路，我想告诉年轻人，不要怕吃亏，吃亏很多时候都是一种投资；不要偷懒，要勤奋，什么事情都不要想到可以等到明天才做，年轻人要学会奋斗，才有前途。另外，最重要的是，不管什么时候，都别丧失掉你的耐心，不要使自己失控于自己的情绪。

Q&A
让·马克·加迪（Jean Marc Gady）

Q：您认为鞋是衣服的附属品吗？或者您认为鞋是一件独立的艺术品？

A：以前我没有参与"ready-to-go"鞋的设计。但自从5年前我开始设计鞋以后，我认为鞋是艺术品，因为它是一件件设计出来的。而我热爱设计，在鞋设计中加入了很多元素。因此我认为鞋是艺术品。

Q：是什么原因使您对鞋有如此大的兴趣呢？

A：我的父亲是一名鞋设计师，从小我就看着父亲和母亲一起工作，并学习如何做鞋。长大后我设计得越多，就越喜欢鞋。这就是我的生活。

Q：当今社会变得越加复杂，甚至脆弱，比如对恐怖主义的恐惧等。这些社会问题会影响您的设计吗？

A：不会。我是一名教徒。我一直认为和平最重要。我每天都会冥思，祈祷世界和平。每天冥思一会，即使几秒也可以，很容易。每个人都可以做到。

Q：您的鞋子深受影视明星、皇室贵族的喜爱，您认为您的品牌的最佳大使是谁？

A：我一直把自己视作推广鞋和教育大使。我一直都在专心做鞋，接触过各个地方的劳动者，他们都被我对鞋子的专一和热诚感动，很尊重我。

Q：您能谈谈现在的时尚设计教育吗？

A：现在英国的设计教育系统还不错，大部分的大学有很多专业的教授，可以与学生交流观念。学生应该接受老师的意见，与老师多沟通，进步才更快。主要问题在于年轻人的吃苦精神少了。的确现在可以从各种杂志、电视和明星中学习，但设计比较辛苦，收入不多，但时间花费多，精力耗费多，批评也多。但是年轻人还是应该更刻苦，他们现在大都容易懒散，没有抓紧时间，他们应该更专业，提出高要求，专注自己的事情。我有很多学生，但很难找到应有的品质。不是说没有进步，他们应该负起责任，按时完成作品。

Q：您会给中国设计作品或设计师提出什么意见？

A：对今天的我而言，这个行业相对容易了，因为我已经建立了一定的名气。当他们看到"Jimmy"牌子时，都认为这是一个很好的鞋子品牌。因此，中国的年轻设计师需要加倍刻苦，建立名气，人们才会接受。如果我设计了一双传统的中国式鞋子，仅仅改变它的名字，仍然不会有人买，大家依旧认为中国的还是中国的。我常常综合中西特点，引用西方的设计，采取不同材料，字母设计等等。我们必须综合东西特点，因为有了新东西，与以前不同的内容，才能吸引人。光是中国的是行不通的，还要有些西方的特质或国际感，让西方的消费者有亲切感。我刚去过马来西亚。我在那里帮助过当地人。马来西亚有马来人、中国人、印度人等。中国设计师可以借鉴当地的方式，改变成中国的形式，尝试不同的设计，并综合起来。要设计得越有意思越好，才能受欢迎。我们都是活在当下的人，仅有传统是不行的。但是这种"综合"是很难的。我知道很多中国设计师，尽管加入了西方设计，但设计出的产品只能表现中国特点的表面，而无法表现出真正的中国内涵。

我拍过许多中国的景色。每两年设计师都会得到一架照相机，拿来拍明星什么的，喜欢什么就拍什么，然后把这些照片拿去竞拍。我拍的照片体现出我是居住于英国的中国人，没有一张是拍的纽约、米兰、巴黎或伦敦。也许是偶然碰见的某人，就像我今天遇见你一样。你要是看过我的照片，可能会惊讶于我的照片居然还代表了众多中国特点。

"巧克力"与流行趋势

LG的"巧克力"手机，已经在全世界卖出了600万台。它的设计经过了7次大的修改，现在还在进一步完善当中。为了更好地说明它的设计方法，我想先解释"基本设计"、"真实"和"流行趋势"。

"基本设计"就是设计手机的主要部件，使其与众不同，让大多数使用者更容易接受；"真实"就是让我们的手机接近人们最真实的感受，在不同的文化环境中，都能被接受；"流行趋势"是我们要表达的东西，迅速变化的流行元素正反映了市场和经济不断变化的需求。我们正在试着将"基本设计"、"真实"和"流行趋势"结合起来，以便得出最好的设计。实施起来很简单，我们要创造一款最接近"真实"的手机。手机市场上的变化因素很多，竞争也很激烈，因此要设计人性化的手机，要设计能满足人们情感的手机。

手机行业里的"真实"理念就是要有突破性的设计，有新的功能，比如摄像、mp3功能。那些功能多的型号成了我们最畅销的手机。每个阶段最畅销的手机型号都是那些在设计上有重大突破的手机，都有很多功能。小巧、紧凑是两个重要的因素。小巧就是机型本身要小，紧凑就是要将各种功能尽可能集中，同时要使整个机身变得更轻。通过了解主流模式，我们可以更清楚地了解自己产品的优势。

Kim Jin女士就职于LG 公司手机通讯部的副总裁。巧克力（chocolate）手机的首席设计师。她很喜欢"跟着感觉走"这个理念，认为数码时代产品形态随情感演绎出来。

产业设计变化每一次变化都是由自由思潮引起的。例如，后现代主义的设计潮流是跟在现代主义的设计之后的。这是反潮流的结果。然而，随

着时间的流逝，我们会夹在两个潮流中间，而潮流与潮流之间的联系越来越小。大家现在看到的是每个潮流的典型实例。有的潮流我们可以很容易辨认出它的代表作。你会发现，设计师们通过产品的感觉来追求情感上的满足；如果你去看设计师是如何将颜色用于家具和室内装修的，你就会很容易地发现，有几个颜色经常会使用到。黑和红就是极好的例子，它们可以表达很强烈的情感。

从功能和感觉的角度来看，市场上的很多手机并不能同时满足这两个要求。"巧克力"系列手机的目标从一开始就明确了它的设计主旨。"巧克力"手机的独特之处在于能与使用者建立一种情感上的联系。如何才能与使用者建立情感上的联系呢？那就是提供纯粹的触感和简洁的外观。我们对细节的设计来自市场的需求和对流行趋势的分析，融合了情感的满足、简洁的外观和丰富的功能。"巧克力"系列衍生出很多不同款式，有"巧克力"经典款、"巧克力"吧、"巧克力"音乐电视一体机。"巧克力"手机的特性集合了对各种因素的考虑，不同凡响。

我们的目标很简单，搞设计是为了人，即"我们"。为了能设计出最接近"真实"的手机，我们必须创造出既能满足功能需求又能满足情感需求的产品。以前，人们认为手机应该符合人们的功能需求，但是到了21世纪，我们的设计师们认为，手机也应该符合人们的情感需求。因此我们要求自己的手机更上新台阶，更接近"真实"。人们的生活中有很多美好的瞬间，我们要将这些瞬间反映在设计当中。

Q&A
金珍（Kim Jin）

Q：您如何看待设计和消费者之间的关系？您觉得，是设计领导了潮流呢，还是消费者的需求决定了设计？

A：设计需要大量的经验，要看许多东西。经验对于我的设计来说，是非常重要的。因为如果你不看好的作品，你就不知道什么是好的作品。作为设计者，有时候我们领导潮流，有时候我们追随潮流，但最终我们还是需要以消费者要求为根本，要视各种具体情况而定。

Q：您有什么建议可以给设计教育？您觉得设计教育面临着什么挑战？或者可以给年轻的设计者一些建议吗？

A：对于年轻的设计师来说，经验是非常重要的。有时一定的经验加上有效的指导对他们来说会有很大的帮助。同时经验也可以带来创意，所以优秀的设计者一般都有丰富的生活阅历。此外，激情对于一个设计师来说也至关重要，如果没有激情，设计也就丢失了灵魂。

工业设计并不是"外形主宰一切"，它还是与工程师之间的协作，与市场和消费者之间的战斗。作为一个设计师需要左脑和右脑一样发达，这样才可从企业和社会中获得成功。

Q：你认为作为一名优秀的设计师，应该具备什么样的特质？

A：一名整装待发的设计师应该坚信人人都会喜爱好的设计。设计师不仅应该是时尚师，也应该是概念师。因此，设计师应该不断地研究用户

的生活方式，并发掘他们的潜在寻求和欲望。一名好的设计师必须具备两个特征。首先，他必须是一个抱怨者，是一个非常挑剔的人。在他看到一件产品的时候，有能力对此发生兴趣，研究并找到不足的地方。同时，一个好的设计师必须是一个能够看到全局的人。只有在他看到全局的时候他才能提出具有创新想法的解决方案。

Q：您认为，文化因素在创意行业中扮演一个什么样的角色？

A：文化非常重要，因为任何东西都和文化有关。即使人们使用电话的方式，都和生活方式、和文化有关。我认为设计者应该是生活的创造者，发掘生活中的需求，为人们创造享受生活的方法。不同的文化背景，会有不同的消费需求，所以说去体验不同的生活和文化对于设计师来说是至关重要的。

Q：创意是商业的重要部分，当然不是唯一的部分。那么设计者如何把创意和其他商业部分联系起来？

A：商业当中有许多重要的因素，包括技术、销售和设计。技术讲究逻辑，销售关注分析，设计则要求有规则，有纪律。同时，设计还要有洞察力和激情。洞察力可以从规律中来，你每天都阅读或了解优秀的设计，那么就会自然而然地增长自己的洞察力。如果加上天赋，就会更加得心应手。

以小博大的品牌价值

谁会给别人一个鸭子呢？我昨天与一个公司谈项目，最后他们问我最后一个问题（我们一直都在讨论几百万英镑的项目），"Joe，最后一个问题，橡胶鸭子去哪了？"对那些没有坐过维珍航空公司飞机的人，我需要说明一下，在上世纪90年代末，我们引入了橡胶鸭子，用来送给乘客。我们这样做的原因是我们要建立"品牌吸引"。你乘我们的航班，我们带着你在35000英尺（10500米）的高空以一小时500英里（804公里）的速度飞行，给你们提供食物，让你们感觉很特别。你下飞机后，你的朋友问你，飞行怎么样，你说，"还好"；你如果乘我们的航班，你会说，"很好！他们给了我一个橡胶鸭子！"所以关键是使乘客的心灵经历比他们的实际经历更快乐，这样他们就被我们的品牌吸引住了。

我的一个任务就是说服董事会为新想法及新设计投资。这项任务很有趣。事实上我要求每年用30万镑的资金来赠送橡胶鸭。我的工作并不简单。

首先是品牌区分。在这个星系中，我们从很远很远的地方讲起，那就是伦敦城外的一个叫Gateway的地方。维珍航空公司成立于1994年，首次航班从Gateway飞到纽约。公司是由Richard Branson创建的，他的资金是从唱片业中赚到。所有他的朋友都对他说，不要，千万不要建立一家航空公司，你所有的钱都会被浪费掉。那时有个笑话说得是你怎样变成了一个百万富翁，亿万富翁，然后建立一家航空公司什么的。幸运的

Joe Ferry是维珍航空公司的设计总监，他的设计突破航空业界的传统，为维珍航空成功建立品牌，脱颖而出。

124

是，他没有听他们的。我们的第一个创新就是这个品牌本身——维珍航空公司，因为我们独树一帜、与众不同。

我们还有一些其他创新，比如头等舱。Richard说，基本上你可以买头等舱产品，我们会收商务舱商品的价格；还有豪华经济舱本身就能为自己作宣传,人们在飞机上坐在一起会讨论他们付了多少钱，有些付全额经济舱价钱的人会有些不高兴，他们需要讨价还价买个打折商品，而坐在他旁边的某人可能不需要。于是我们说如果你买的是全额经济舱机票，我们会给你更多放脚的地方，会给你豪华经济舱。所以从最开始我们就有内在的创新。现在，我们正在改变头等舱的种类。我们集团还有许多子公司Virgin Atlantic、 Virgin Holidays,还有一些航空公司如Virgin Blue、Virgin Nigeria，还有Virgin America也将建立，我们甚至还走向了太空，牌子是Virgin Galactic。

怎么区分品牌？或者说为什么要区分品牌？每个公司都有飞机，把旅客从这里载到那里。那么乘客为什么选我们？我们与其他航空公司有什么不同的地方？我们集团有22年的历史。在5个大洲间多于28条航线，8000多名员工，大多数是乘务员，每年载客400万人，所以我们接触到了很多人。当我们真的开通了新的航线后还是很有趣的，去悉尼、古巴，我们到达后，我们会告诉媒体，我们到了，我们很小，我们需要以

小博大，我们要产生更大的影响。设计真的帮助我们建立了一些话题，于是我们可以谈论我们的一些事。

当你设计的时候怎样找到你的需求呢？设计的原因是什么？你可以很无聊，一成不变，然后说这就是促使我们把原始座椅放在首位的原因。然后事实上你会发现在这些东西上的花销是多少，因为座椅很贵。不过你要是现在看看，座椅其实并不是那么重要，因为现在我们坐着的时间并不多，很多时间我们是离开座椅的。那么你就可以与你的竞争者仔细比较一下，他们的花销是多少。最后你会说好，咱们做一种新的座椅吧。

我们花了几百万英镑来开发这些东西。我们要的是品牌价值创新，那么我们怎样改变我们的产品，我们坐在那里，转向另一边，说，没关系，6年后我们再做一次。我不知道是否有人记得这句有名的话"如果东西还没坏的话，就不要试图修理它。"Richard却说，"如果东西没坏，就给它弄坏。"所以我们就那样做了，我们坐在那，我们不再说我们究

竟要怎样才能改变它。而是说，让我们来改变它，我们怎么做。我们得出结论，主要问题是钱和人。吸引更多的人乘坐我们的飞机，我们就有更多的钱了，我们可以用来抵销花费（这是关于投资与收益的），这就符合了我们宣言。

对于我们来说，设计的价值就是我们从设计中获得了很好的公众关系，人们知道乘坐我们的飞机有更好的服务和产品。这还不仅仅是设计自身的问题，这还在于你怎样推销你们的公司，你的战略是怎样的，在于卖出你的机票。如果你有最好的产品，你在推销产品、围绕这个产品推销品牌时你会更加自信。你可以把它带向全世界，头等舱走到了纽约，三藩市，香港也有头等舱。所以是以一个产品为基础，来推销你们的品牌。

在我们提升硬件的同时，我们没有意识到的是我们的服务水平也上升了，因为我们产品有一种光环效应，乘务员对我们的产品感到很自豪，所以他们的服务水平也上升了，所以设计的潜在价值你永远看不到。

从最开始到最后，我们的目标都是让乘客看起来漂亮。要创新，你需要有勇气，你需要与众不同。创建品牌的关键是公众关系，你不能在25号街上（那基本上是伦敦的一个停车场），弄一个大的广告牌，上面写着"如果你没有沙发，就来买我的沙发吧"，看起来是像拉皮条。你可以让全世界的人来评论你，不过如果其中一个是非常著名的评论家，说"你和你的对手之间有着行星的差距"，这对于那些不明白什么是"行星的差距"的人来说，你的形象可就不太好了。

我们不仅是对飞机座椅进行设计，而是针对整个过程。从买机票，如果你愿意可以自己登记，如果是头等舱，你可以呆在车里，我们会帮你登记；我们注重细节，譬如工作服和服务；我们还对所有舱型进行设计，包括经济舱、豪华经济舱、头等舱；我们注重飞机的外形还有内部装潢；不论你是在香港俱乐部、肯尼迪俱乐部，还是希斯罗俱乐部，到处都有设计的元素。这就是设计的价值，正如你可以看到的，我们设计过的俱乐部比那些还没有设计的要好得多。

很多人想，这看起来都很好，不过我付不起那么高的价格，那些都是给富人的，不是吗？设计的价值，与F1公司很相似，它们大量投资于高端技术，最终用获得的知识来开发产品，并把技术也用于所有其他人也买得起的产品。我们也正是这样做的。我们把头等舱套房的想法应用于经济舱和豪华经济舱。所以我们经济舱的舒适级别增加了25%，我们改变了座椅的倾斜度；在豪华经济舱，我们设计了更轻更宽的座椅，比大多数商务舱中的座椅还要宽。在豪华经济舱里不只是在于座椅，还在于所有其他的元素，杯子、毯子什么的，豪华经济舱里的所有东西都很重要。所以，我们可以以产品供应为基础来做宣传活动。

我们的设计还关于创造更多空间，广告代理商决定告诉全世界我们的产品是怎么回事。广告就是建立于产品本身的基础上，光环效应，就是产品本身。这是很大的成功。对我们座椅的预定一直都爆满。不过这时他们开始说，油价飞涨，我们每年需要多赚1亿英镑来付油钱。金融时报上说，从1999年开始维珍航空获得的利润最多，那是头等舱大量推行后的结果。在这篇文章中，Richard Branson先生说，不，我们现在的成功归功于头等舱套房中的产品供应。这是对设计队伍和所有与这个产品有关的工作人员的认可。

这并没有结束，问题是设计总监经常要要钱。这很糟。人们都在节约钱，可是你总是在向董事会要钱。有一个推销员对我说："我为公司赚了多少多少钱，你赚了多少，Joe？"我说："不好意思，我只是花钱。"较好的是，我们懂得了从错误中学习，人们上一次模仿了我们的座椅。这次我们取得了头等舱专利，它很有价值，所以我们设法取得了特许权。许多公司向我们订货，收入量比我们在研发中花的钱还要多，所以我可以到董事会办公室说，看，这是100万，这是我刚赚的。

我们要创建什么。我们总在唠叨，我还会继续唠叨，我认为设计队伍都是没用的人，我们下一次就会放下了。设计的价值只是一种知识产权的价值。我们总是要新想法，我想让我们成为最棒的，去拓宽创新的边界。从我们来看，干这一行是很难有休息的时间的，我们总是需要向前看向前走，这样我们才能走向未来。未来是什么？我的工作的优点是我也不知道我到底是干什么的。不过如果这项工作没有意思、没有创新，那么就不会有人选择这一行了。

Q&A
乔·菲利（Joe Ferry）

Q：作为维珍航空公司的设计总监，从你来到公司以后，一直在奋斗和追求的目标是什么？

A：我希望能给我们的客户和乘客带来更多的价值。为此，我一直在创新，让维珍航空公司和我们的竞争者区分开来。竞争总是要价廉物美，我的努力就是要让客户能选择维珍航空公司。

Q：在攻读工业设计硕士学位时，你创作的毕业作品后来成为维珍航空早期头等客位卧睡座椅。这个作品对维珍航空及其品牌所产生的影响和意义是什么？

A：我设计的头等客位卧睡座椅在那时是很有创新意义的，用了四年时间。从中也学到了许多有关航空设计的知识。设计的时候我并没有采用同行原有的原则，而是通过这个作品确立了一个里程碑似的设计。这个行业竞争很激烈，我们必须要领导潮流，尽管可能被模仿。这个设计是非常独特的，因此赢得了竞争。

Q：设计既要保证质量，又要让使用者得到享受。你在这方面是怎么做的？

A：我们在这方面是很有成就的，获得了不少奖项。现在的乘客越来越有鉴别能力，对设计越来越重视，同时对品牌也越来越敏感。他们期待获得高质量的服务。因此，我们要更加努力来提供好的服务。在这方面也已经获得了不少奖项，而且这些是在有很多限制的情况下获得的。

Q：你认为航空设计中将出现的新趋势或者挑战是什么？在这种情况下，如何更好地去通过设计服务于乘客呢？

A：我们可以看到出现了有很多趋势，这都在乘客那里反映了出来。现在整个社会在老龄化。老年乘客是非常有经验的，接触过许多不同的航空公司，因此对质量的要求也很高。同时年轻一代开始发出他们自己的声音。年轻人对于品牌非常了解，而且很有主见，不太会受宣传的影响。这些都要求我们一定要提高质量。无论是年老的还是年轻的，都在变得越来越有鉴别力，对服务质量的要求越来越高。这对我们来说的确是不小的挑战，我们自己也面临着许多限制：价格在下降，盈利空间在缩小等等。

Q：在你看来，设计师要具备的最重要的才能是什么？你对于年轻设计师有什么建议？

A：最重要的是有热情，只有具备了热情才能成功。大学生和设计所里的工作人员区别就在于，设计所里的人往往要考虑成本和日期底线，而大学生则很有热情去学习各种知识。对于年轻设计师来说，很重要的一点就是不能失去这种热情，要保持学习的劲头，并对现存的事物提出置疑。我们希望年轻设计师有热情，有志向去改变已有的设计。

劣设计之劣后果

约翰·索莱（John Sorrell）是英国设计界的领军人物，也是Newell & Sorrell 公司的创始人之一，该公司已经成为欧洲设计界的知名公司，顾客遍及世界各地，其既实用又独具创造力的作品曾获100多个奖项。1997年与 Interbrand合并以后，John成为公司总裁。1994年至2000年，担任英国设计委员会主席。John推动了多项具有创始性意义的设计，比如千年纪念产品，这个项目通过重点推出英国的100多项极具创造性的产品和服务，宣传并鼓励创新。他也是伦敦设计节的创始人，帮助宣传伦敦成为世界创意之都。

一个优秀的设计可以从很多个方面对事物进行改善，而劣质设计等于坏消息。换句话来说，就是如果没有设计，会有什么后果。劣质设计总的来说会带来三方面的问题：首先，对于人本身来说，劣质设计危害人类。再者，在经济上，劣质设计有损企业效益，造成经济损失。第三，在环境方面，劣质设计破坏环境。

人们往往以为，如果减少设计的费用，他们将会节省开支。而事实恰恰与之相反。我之所以有资格这么说，是基于我在设计行业40多年的经验总结。我最近忽然意识到，在我一生中，我花了太多时间向人们解释什么是好的设计，为什么好设计如此重要，为什么好设计既省钱又有利于企业发展。我相信，很多设计师都是一次又一次地向那些负责购买设计的人演示：一个好的设计能带来什么好处。我必须承认，对于这些，我实在是受够了。我想我们都厌倦了反复向人们解释一件再明白不过的事情：好的设计能够改善生活；如果你一开始就能够多花一点时间和金钱在好的设计上，那么从长远来看，你会节省时间和金钱。但是问题在于，太多的人为了节省成本而生产不合理设计的产品，结果这一招并不管用，最后搞得一团糟。

我发起了一个抵制劣质设计的活动。我希望大家都能够加入我们，告诉人们为什么劣质设计等于坏消息。正如我相信优秀设计作品的好处一样，我也知道现在有太多的劣质设计产品、劣质设计的交通，还有很多劣质的建筑，你或许会很惊讶，单单在英国这个地方，就有很多事故发生。有些时候，整件事情看上去非常愚蠢。比如你恰巧在这条小巷里骑自行车，你将会遇到麻烦。更严肃一点说吧，这里是英国重要的火车站之一。你不知道自己是否到站，也不知道下一站是哪里。阴暗的办公室走廊，我们都对此有所体会。这位带着孩子的女士宁可小心翼翼地走在路的边沿上，也不愿走下这个标着"通往市中心"，看似非常危险的隧道。关于技术性产品，我可以给大家举出很多不合理设计的例子，

但是我想很多很多人还是更喜欢这个关于菲利普王子的例子。让我先解释一下原因吧，无论是富人还是穷人，无论是来自社会哪个阶层的人，是普通人还是皇亲国戚，无一例外都将受到劣质设计的影响。因为我曾经听到过一则有关菲利普王子的轶事，我不止一次地听到他提起这件事。他想用录像机把一个电视节目录下来，结果却无法设置那个录像机。我听到他描述说，他趴在地上，手里拿着放大镜，试图看清楚录像机上的调节装置，以便录下自己喜欢的电视节目。我想我们大家都有类似的有关技术产品的经历。提到一些用来帮助病人的设计，那就非常严重了。医院的自动化系统可能导致药物分发出错；汽车用户界面每年都会导致多起死亡事故，因为复杂的设计转移了司机的注意力；所以说，如果设计出错，可能导致非常严重的后果。

而劣质的设计要留下不良影响也是非常容易的。我想花一点点时间来给大家讲一个故事，说的是劣质设计给人们尤其是普通人带来的种种不良后果。

我现在把重点放在环境设计上，主要是环境设计中的建筑设计。在伦敦东部的Dorston，原来有一个维多利亚时代建的街道网络，那里有成排的房子，迅速发展壮大的社区。但是在20世纪70年代末期，英国开展了全国范围的大规模街道重建。这里的街道被填平，城市规划者、建筑设计师和承包商一起在这里建立了荷利（Holly）住宅区。他们原本是出于善意，想要给成百上千无家可归的人提供住所，但是没有太多时间来好好设计这个街区，决定非常仓促，成本被减缩，也没有进行适当的咨询。过去，这是一个人气旺盛的社区，现在这里成为可怕的街区。没有人再住在一楼，一楼只是用来当车库。过去，这里是一个开放的、受人欢迎的街道，而现在，这里只有黑暗恐怖的楼道，又长又暗的走廊，还有各种噪音充斥其中。过去，有成排的小院子和小花园，而现在，花园已经不见了踪影。在一阵阵忙于建造房屋的喧嚣中，没有人问居民他们需要什么，也没有人考虑到这些设计会给居民的生活方式带来哪些影响。结果是，这里成为了当地居民讨厌的地方。犯罪率上升，毒品泛滥，荷利街区声名狼藉。由于名声不好，住在这个街区的居民很难找到工作。不久，住在该街区的63%的居民要拿政府的住房供给福利金，这说明他们在靠政府的福利金过日子。80%的居民申请离开该街区，搬往别处。这是不合理设计的一个经典案例。没有人希望建造一个人间地狱，大家的初衷都是好的，但是最终证明这不可行。为了弥补后果，我们付出了更惨重的代价。事实上，如果在设计之前花点时间征求居民的意见，并根据他们的意见作一些更为合理的设计，代价要比现在小得多。

让我问大家一个问题：为什么这个街区设计得这么糟糕？劣质设计的主要原因有：预算问题，时间问题，还有顾客或用户的不理解。为了成功地在最终期限之前完成设计，往往在匆忙之下就开工了。决策者说，我们必须加快赶工，我们可没有多余的时间和钱浪费在咨询或者昂贵的设计上。采购负责人说，我们必须接受最低的投标，他们是有利益关系的股东或者纳税人，这是无可辩驳的，况且，很难证明最低价意味着最差的质量。设计费用通常只占成本的一小部分，在建筑设计中尤为如此，设计成本只占整座大楼成本的极微小的一部分。最近有项调查研究显示：一座典型的1000平方米的大楼，其每日运行成本是建筑成本的5倍，这座大楼的总建筑成本是4000万，乘以5，也就是2亿，如果算上能源涨价的话还要多。所以说，相比之下，节约设计成本和时间完全是微不足道的，因此是不必要的。

另一个需要考虑的就是，劣质设计破坏环境。在英国，40%的温室气体是大楼排放的，如果包括所有建筑的话，则是多于70%。因此，在英国，至关重要的一点是，我们设计的时候一定要把控制温室气体排放和能源的节约利用放在第一位。

现在我们考虑一下，荷利街区给环境和社会带来的真正后果是什么？想一想，给当地居民带来了多大伤害，给他们造成多少的经济损失，这其中包括要对付犯罪、毒品和失业问题，包括安全费用，损坏物品修理费等费用。但是，现在有一个好消息。我们已经重新整治这个街区。我们炸毁了老的荷利街区，建造了新的房屋、新的低层民居社区、运动中心和社区活动中心、托儿所、诊所、养老院，我们把民居建在街道两旁而不是高高在上，房前屋后都有花园。这不是建筑学的问题而是人类学的问题，因为新的Livid Bernstein公司的建筑师在设计时考虑到了人的因素，他们考虑的是人的生活：人们如何生活？是做什么工作的？他们将如何利用这些空间？结果是，这次重建非常成功。60%的居民曾经认为住在这个街区非常危险，如今，只有5%的人有这种想法；过去，有43%

的居民在街上目击过犯罪行为，现在只有1%；医疗保健的需求降低了33%，警察人数同样也减少了33%；故意破坏的行为从78%降到了9%。住在该街区的居民心情更加愉快，储蓄也更多了。因此，尽管重建的街区并非尽善尽美，新的设计至少是充满人性化的。

那么，我们如何避免劣质的设计呢？我想要你们做的是，既要谈到优秀设计的好处，正如我们经常做的那样，也要强调劣质设计带来的后果。让我们去告诉大家劣质设计对于人、经济、环境等方面带来的危害。劣质的设计危害人，而好的设计改善人的生活；劣质设计损害经济和企业，而好的设计从长远上节约成本；劣质设计破坏环境，而好的设计保护地球。

如果我们能向人们说明设计阶段的成本投入带来的好处，以及缩减设计成本带来的危害，那么，购买设计的决策者可能更会听从忠告。

CABE最近发表了一些文件，有一些是关于我所谈到的劣质设计的危害，大家可以在CABE的网站上看到有关内容。

网址：www.cabe.org.uk

"不创新就灭亡"

卡里姆·莱希德（Karim Rashid）出生于埃及开罗，在加拿大多伦多接受教育，而后到意大利拿波里深造设计，现在居住在纽约。他在产品、室内、时装、家具、灯饰艺术方面的作品曾在全球14家博物馆展出。如今，他有2000多款设计产品被生产，以简约概念和优雅设计美学著称。

因为数字时代赋予我们不断变化的经历，新的经历，重要的经历。但是这些经历，一旦经历后，就结束了，不需要你回顾。这就像是欣赏抽象的画和立体的画。当你看到立体的画的时候，你马上就了解了画里的故事和所要传达的信息。你和我从中获得的信息是一样的。如果我们观赏的是抽象的画，你和我诠释的可能完全不一样。我们会重新诠释这幅画，经过一段时间，我们会以不同的方式诠释。从某种程度上说，抽象的画比设计更加浅显，它对日常生活的影响是从心理角度的，而不是直白地表现出来的东西。如果我们看一下设计所经历的变化，这是非常有趣的，以前的设计是很直白的，只是表面的。

举个例子来说，在20世纪90年代，有些产品具有很多特色。但是这些产品出现后不久就消失了，为什么很快就消失了呢？因为它没有内容，它应该具备漂亮的品质，因为我认为美是设计的关键点。我想如果一家公司注重产品的人性化，那么它们就能获得巨大的成功，从经济上，文化上和品牌上都能获得成功。在过去的20年里，我注意到人们的品牌忠实度在下降，大多数过去习惯于一直买一种商品的人突然发现他们在这个越来越小的世界上有很多选择。比如说，如果我要买一双鞋，我买了普拉达（prada）的鞋，结果没有我想象中的好，我可能就不买普拉达。20年前，如果你买了索尼的产品，不好，你下次可能还是会买索尼的产品，因为那时候，可能只有三四家公司经营，但是现在有跨国公司，实

140

行自由贸易，国家壁垒被打破，世界变化得如此之快，突然之间，你可以获取任何东西，即使你是在美国的一个小镇上，你也能买到世界上任何地方的东西，可以获得世界各地的消息。这改变了消费者的消费习惯。因为，我之前说过，掌控世界的大权是在消费者的手里，而不是政治家。在这方面，你会说，好的，我有这么多的选择，我可以任意选择品牌。就是说，如果你买了某样产品，你觉得不好，你就放弃了这个品牌，然后买别的品牌，你可以继续选择。那么，问题是品牌怎么办？怎样建立品牌忠实度呢？他们应该做的第一件事就是，正如《华尔街日报》大字标题所写的"不创新就灭亡"，他们应该不停地进行创新。处在这种境遇下的公司，如果不创新，公司就完蛋了。

早些时候，我不知道你们有没有看到"de"瓶，我想从实际的角度谈一下这个问题，因为这可以当作一个案例来分析。有家公司叫做Method，位于旧金山。这家公司的人三年半前来到我的工作室，是两个年轻人，不到30岁的样子，他们说我们有个想法，我们有工商管理硕士的学位，我们想设计一个清洁产品，我们想和消费者经常使用的品牌竞争。但是我认为这是不可能的，因为我太熟悉这个领域了，这个领域的问题是如何能够上货架，如果你不知道你的产品能不能卖给不卖你的竞争对手产品的商店里，你怎么知道产品能销售得出去呢。但他们说他们已经决定了，我认真地听了他们的想法，之后我说，我们要做点什么。

我们应该设计一个非常优秀并且完整的产品。如果是外包装的设计，你要研究人的行为，比如顾客会如何使用你的产品，他们如何抓住这个产品，他们如何触摸，以及产品的外形和材料，等等。那么内在的东西呢？我们怎么处理内在的东西？我们应该要制定一个完美的计划。我们要生产出消费者认可的产品，你甚至可以喝，但是不会伤害你的身体。这是市场上，全世界唯一的此类产品。这就叫做内容优秀。然后我们再来看产品，我们应确保瓶子是百分之百可回收的，确保是消费者友好产品，但设计还有另外一个层面，我把它称作设计感官，根据五官设计产品，气味成为了决定因素，声音也成为了决定因素。20年来我们在设计时都强调这一点，但似乎没人真正地解决这个问题。比如说，大约10年前，我在可口可乐工作，我研制一种口味的饮料时，我对他们说，你知道吗，如果我把这个塑料瓶盖打开，我一打开就能闻到草莓的香味，这样我在喝饮料之前还可以闻到它。因为人是可以尝出12种不同的味道的，但其实人可以辨别出16000种气味。人的这种辨别能力是至关重要的。我们决定让产品的内容闻起来好闻，所以我在旧金山花了三天的时间闻了150种不同的自然香气，比如葡萄，薄荷等等。想象一下，如果你在洗碗的时候，你会闻到什么味道，现在有柠檬。但我们研制一种新的气味，非常的有意思，就是把薄荷和香草混合在一起。总而言之，我在可口可乐获得了许多成功，顺便说一下，我的第一个瓶子的设计就是那个信用卡，这个想法其实很简单。我当时的想法就是，在现代，人人都很注重设计厨房，即使是在郊区也是如此，现在你到一家新的郊区住户，厨房里也配备了电冰箱。为什么我要把这种放在灶台上肥皂设计成50年代的工艺品，所以我们改变了瓶子的设计。我想到的第一件事就是改变瓶子，而不是改变肥皂。也就是说，我们发现世界上没有一种瓶盖是不漏的，所以我们找到了位于肯塔基州的一家公司用了6个月的时间

生产瓶盖并把它放在瓶底，这样就使表面清洁、平滑而且看不到表面的脏东西，你的产品就显得很漂亮了。最重要的是我们尽可能地去除所有的图案。因为你知道吗，如果你在沃尔玛超市的货架上看，你就会看到出售的肥皂，但是太复杂了，为了击败这种产品，我们反其道而行之，什么设计也没有。我们获得了巨大的成功，第一年就售出大约900万个瓶子。这种产品进入了商店、药店等各种场所。那家公司根据4个星期前某杂志的评估价值4亿美元。在前三年里，这家公司甚至没有做广告。现在我们谈谈为什么这很重要，坦率的讲，我所做的是设计帮助的结果。设计完全改变了和塑造了商业。

在坐飞机的时候，我手里不应该拿着愚蠢的票，我都不知道我们为什么要有票呢。这张纸是个愚蠢的东西，我手上的这张纸，在我看的时候，我应该看到的是我的名字，每一个座位1美元，在我的座位上我就应该看到我的名字。当你去酒店的时候，大卫先生，欢迎你，我走错了房间，就是这样。这就是我们生活的新时代。这个新时代是个无缝的数字时代，这个时代是这样的美丽，吸引人，强大。我们生活的时代是历史上最有意思的时代。虽然世界上还存在许多问题，像是全球变暖，伊拉克问题等等，我们比历史上以往任何时期都过得好，仅在300年前，世界上4%的人很富裕，6%的人穷困潦倒，但是现在中产阶级很庞大，生活过的相对更好，因为我们经历了重要的变化，什么变化呢？就是设计带来的变化。事实上，美国去年圣诞节的十大受欢迎礼物中，有六种是非物质的，而不是实物的礼物，比如说电脑游戏、软件、音乐、香熏沐浴、证书，为什么这些礼物不再是实物了，因为非物质化的世界比物质化的世界更好。公司如果能够思考世界究竟在发生什么样的变化（大多数这种变化是实在的物质的变化），如果我们想提供好的产品，我们就应该考虑一下这样的产品在这个非物质世界扮演了什么样的角色，不是这样的吗？我刚才谈到的买东西，这种产品能代表这个时代吗？它能

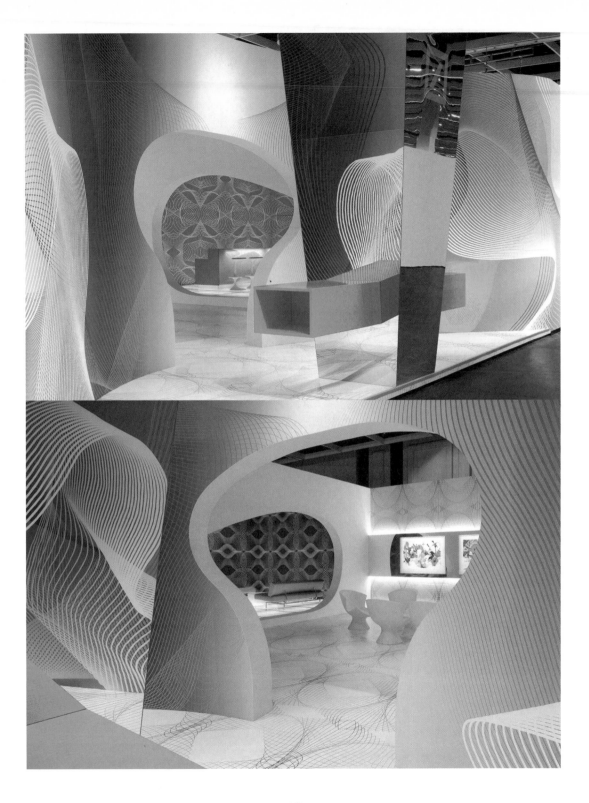

为这个时代服务吗？举个例子，我曾经设计过香熏浴，我对每种香熏浴都做了调查，世界上有各种各样的香熏浴，我感到大开眼界，每种香熏浴都能带给你"把我带回600年前"的感受，为什么我们对这种艺术香熏浴感到留连忘返，为什么？我认为香熏应该像是一部电影，比如说，当你走进一个房间，所有的录像就像是野马在旷野上狂奔一样，还有美妙的音乐。那么我们为什么在香熏浴里不用数字技术，为什么我们不接触这些技术呢，为什么人类会有这样奇怪的感觉，我们一关闭计算机，我们就失去了联系，你们知道为什么吗？我们并没有被隔绝，我们和世界联系着，在宇宙里，大量数据在交流，想象一下，如果你能看到这些数据，事实上非常简单，联系起来，我们就能看到能量，数据在世界各地交流。我们被卫星围绕着，我们永远是联系在一起的，我们为什么不开始意识到我们生活在数字时代，在这个时代，我们有休息，复兴，等等。为什么卫生间的革新是一场智力的革命而不是物质上的。在设计酒店的时候，卫生间就是智能的。当你住酒店的时候，你走进卫生间，它的地面只是卫生间挡风玻璃，非常简单。我起床后，我走进卫生间，我就可以在镜子上看到自己的信息，比如爱好、血压、体重、时间、室外的温度，等等。非常简单。我想做但不能做的是坐在马桶上，分析我的论文，我不想要一个厕所论文，我想把它大声地念出来，我可以大声地念我的论文，然后……想想吧，如果我们住在这样一个智能的卫生间，我们可能就不会想着在浴缸的周围点上蜡烛，我们做的事可能就不是这样了，我们可能会减少30%到40%的去看医生的比例。我们可以完全改变，这个世界上有太多可以做的事了，只要我们结合当前世界的状况。

最后我想谈谈的是这家我设计的雅典酒店。这里面有很多我感兴趣的东西，非常细微的东西。当我刚开始设计酒店的时候，我最先想到的事就是我想神奇的感受。我不相信护照、钱袋或是钱什么的。顺便说一下，欧盟花了160亿美元来制造欧元，他们就是为了和美国人一争高下，为什么这么说呢？因为一开始欧元叫做欧洲美元，很快他们就去掉了美元两个字，欧元硬币上写的是分。想想吧，首先，钱是肮脏的，会传染感冒，我们不再需要钱了，电子货币，世界上70%的钱根本不存在，它以数字的形式在世界流通，已经不再是实实在在的货币了，那么我们为什么还用钱呢？反过来说，我们为什么不用护照呢？设计可以做到这一点，发挥更大的作用，让我们的生活更加全面，更加美好。有人会说通过减少达到增加的目的，少一些，多一些经历，更多的经历等于更长的生命。那么我们为什么不让世界变成这样，我们为什么不把世界设计成这样。

FDA是在你手里植入微型芯片，你就可以开家里的门，车门也可以打开。为什么不这样做呢？我们可以应用各种各样的植入技术。人身体71%的器官都可以用人造的器官来取代。为什么不这样做呢？这总是要发生的。在过去的15到20年里，我意识到商业变化很大。当我在1980年初开始进入设计行业时，我当时在一家设计公司工作，和三星、东芝等许多大公司合作，你甚至从来不用美这个字，区分他的产品不符合他们的利益。这是一种理念，就是在二战后，哈佛大学提出的商业理念，当你设计时，你和对手的产品是一样的，而如果你击败了对手，你就能立即毫无风险地获得对手的市场份额。但是突然之间，现在的公司在做些什么呢？它们的投资风险大，没有重心，再大的公司也是如此，为什么这些公司会这样做呢？因为它们要把自己和其他公司区分开来。我刚才说过，区分自己和别人的最佳方式就是设计，按照我的理解，设计就是创造一个更美丽的世界。

7年前，雅虎公司的鲍勃·叶森在电视台作节目（我永远不会忘记这件事），三个人坐在桌边，主持人问，你们现在还怕谁？是微软吗？鲍勃·叶森说，不，我们怕五年前和我们一样在车库里起家的三个人。这个回答太妙了，这是消费者文化。这是世界的未来。

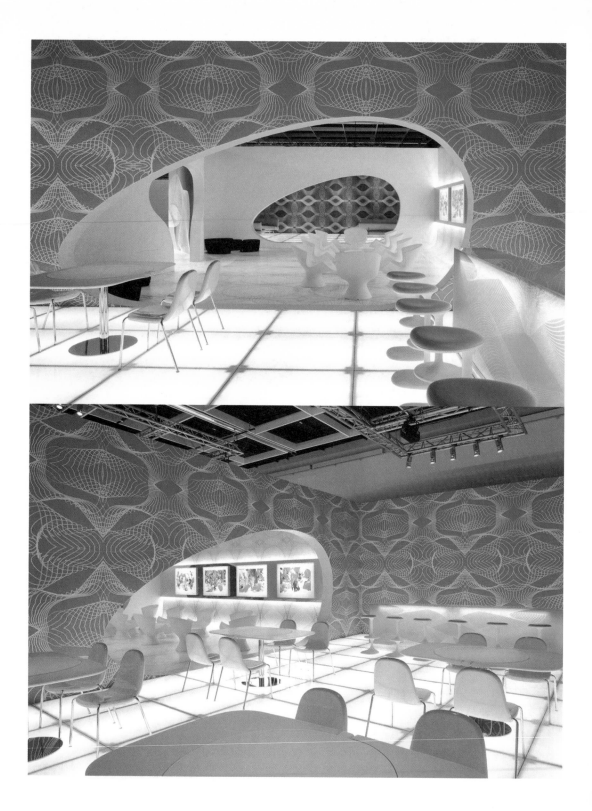

Q&A

卡里姆·莱希德（Karim Rashid）

Q： 能谈谈设计对大众生活的影响吗？

A： 我想肯定有很多人都想知道设计对大众生活有什么影响，它的作用是什么。设计和商业、文化等等一起组成了我们生活的世界。设计师在设计时把注意力集中在美学上，而设计出的作品则对人们日常生活行为习惯有很大影响。我曾在美国做过很多的设计项目，也知道人们很容易忽视这些东西，可正是它们构成了时尚的元素。人们对时尚的热情倒是非常高的，因为时尚对日常生活的影响是显而易见的。不管人们对时尚态度如何，时尚对人们的影响是全方位的。再说说建筑设计，这个行业已经有千年的历史了，人们对它也很熟悉，而设计行业则出现较晚，人们对它也就不那么了解。在上个世纪80年代，很多人都不知道"工业设计"这个词。而仅仅过了25年，情况就已经发生了很大变化。尽管人们当时对设计不熟悉，但在很多日常用到的东西中都有它的存在，例如复印机、相机等等。人们都要和设计打交道，可从不问它是从哪里来的。其实工业设计现在已经非常普遍，每年数百万美元都花在这方面。总而言之，我认为设计这个行业越来越开放，它对公众的影响越来越大。当然，媒体起了很大的作用。设计行业已经成为了人们与"概念世界"交流的媒介，人们从中获得新鲜的体验。换句话说，我们的生活已经离不开设计。设计的目的也不再是满足功能上的必要要求，它还要满足人们特别的审美需求。人们总想生活得更好，生活质量更高。因为世界贸易、跨国公司，现在世界正变得越来越小，这对设计行业的发展很有好处。更多的大公司开始注意设计，设计师也在世界范围设计产品。同样的发展也出现在建筑设计领域。建筑设计行业现在被证明是一个利润不小的行业。以前人们不敢确信设计建筑也能赚钱，而现在设计精美的建筑的确能赚钱。现在，所有公司都在竞争产品的质量，产品的材料、设计就成了关键的因素。很多产品质量一样，为了增加竞争力就要采用更好的设计。

Q：我对你关于"怀旧"的说法很感兴趣。比如最近香港维多利亚港口另一侧的一个老俱乐部被拆除了，当地人都认为这很糟糕，你是如何看待这种改变承载着城市记忆的建筑物的行为？

A：我想大家都误解了我关于"怀旧"的观点了。拆除一个城市的标志性建筑物就像拆掉帝国大厦一样。这些建筑物记录了城市的历史，是我们能够凝聚在一起的关键。这和"怀旧"是两回事。如果家里有一件真正的古董，我肯定会很珍惜；而如果是一件过时的赝品，我当然就不在乎了。这是两回事。我们一直都在模仿最初的那个"原作"，一直在制造最新的"原形"，这个过程一直在重复。而我现在受邀在这里建造一个新的城市标志性建筑物。它是当地城市文化和景观很重要的组成部分。这就好像罗马人不会把新修的建筑拆除了一样，他们是不会这样做的；他们也不会停止建造。我在布莱顿建造一座酒店，这里离伦敦只有一个小时的车程，很多伦敦人来这里度假。布莱顿现存的建筑大多是建自当代，大概是从1910年开始。他们要求我把酒店设计成与周围景色一致的风格。把酒店设计成1910年的样式不是件难事，那么为什么不设计成2006年的风格呢？等到100年后，人们看到这座酒店就会说，看，这就是2006年的风格，而不是1910年的风格。这样，一座酒店就可以记录城市在发展当中所经历的变革，是对记忆的一种补充。

Q：设计师应该了解更多东西，更人性化，对吧？

A：我很高兴你问这个问题。我想所有人都应该知道这件事。如果没有设计师的参与，机械化大生产会生产更多的商品，也就是说，有没有设计师商品都一样。整个世界都会充斥着这样的商品，设计师则一点作用都没有。但是，如果有了设计师，他们会给生产过程带来新的东西，而不只是不断生产以完成计划任务。也许设计师会让商品更有人情味，更友好，更漂亮，更吸引人，但同时也可以改变厂商的生产过程。我曾经替一个公司设计产品，这个产品本来要使用PPC（氯化聚丙烯）塑料，我们都知道这种材料是有害的，燃烧会产生有毒气体。我说服他们使用无毒的聚合塑料，因为从设计的角度而言后者更好。这家资产有两亿美元的大公司就因为我的建议改变了原来的方案。设计师的工作应该是以让世界更美好为目标，而不仅仅是造出一件商品。制造商品是一个必需的过程，厂商不是因为高兴才这样做，而是为了自身的生存发展。这就是消费世界，我们无可回避。但是，你是想买毫无吸引力、很一般的商品呢，还是想要有点乐趣的、有意思的商品？这就是设计师的用武之地。我曾经听过一个社会学家说，全世界的商品只有6%是经过有名气的设计师设计的。也就是说94%的商品是由默默无闻的人设计出来的。我想到很多充满才华的设计师被人忽视就有一种负罪感。

Q：设计师的作用的确很重要。那么在设计的时候到底是实用重要还是设计师的美学倾向重要呢？

A：我认为这要看具体情况。有时候你可以非常的实用，有时候你可以把自己的印象作为主要的标准。我的手机看起来就像是上世纪50年代奥运会里用的计时器，很可笑，这样的设计几十年都没有变。再说我四年前就有一个诺基亚手机，一直用到现在，而新的手机设计也一直没有变。仿佛手机的设计已经形成了一套大家都遵守的常规。又比如电脑，广告里说它有多先进，多复杂，里面有多少高级零部件。但我对此就不感兴趣。看看我们身上穿的牛仔裤、Converse运动鞋，这才是真正的我们的世界。为什么手机不能设计得和Converse运动鞋一样有意思、讨人喜欢？我认为这才是我们生活的方式。

Q：您在大学讲学多年。您认为现在设计专业教育最大的问题是什么？

A：我认为问题在于缺乏经验。建筑专业有各种基础理论，很多专业有主体。而设计专业恰好缺乏理论和主体。设计仅有百年的历史，还没有形成系统的理论。大部分教材并不系统，而且年轻的设计师接受的教育是去观察，不去阅读；去做而不去思考。我认为这很危险。大部分设计学校仅仅是告诉学生，例如设计椅子时，去商店里观察，并制造一把椅子，但这并不是设计师的工作。设计理念和制造是不同的，设计师是不用去做什么东西。设计师并不制造产品，机器才制造产品。

表面之后，造型之外

罗维·威米尔斯先生（Lowie Vermeersch）是欧洲负有盛名的汽车品牌宾尼法利纳的首席设计师，他来自意大利的总理事会。在过去的几十年里，他领导其中一队设计精英设计出了诸多成功的概念车型号。

在过去的几个世纪中，意大利展示了她在设计、在满足人类需求方面的才华。我所说的人类需求主要分成两个方面：第一个需求就是设计出有用的工具，让生活更容易一些。第二个需要就是设计出满足人类的审美要求的事物。我认为设计就是这两者的结合。在汽车设计中，人们往往注重造型和第一印象。造型固然是非常重要的，但表面之后和造型之外的因素却是一般人并未关注的。

宾尼法利纳公司于75年前创立于欧洲，宾尼法利纳的历史就是欧洲汽车的历史。我们做的不止设计，我们还做工程，我们还制造汽车，宾尼法利纳每年的汽车产量大约为6000辆。

宾尼法利纳的业务主要分三部分：设计、工程和制造。在这里，我要强调的是，我们现在为很多中国的汽车制造商服务，我们为大多数的中国客户提供设计和工程服务。但是，我们不负责汽车制造。宾尼法利纳最有名的设计是法拉利。但这不是全部，我们还设计标致（Peugeot）、三菱（Mitsubishi Colt）和NIDO等等。宾尼法利纳设计的其他汽车包括：FORDS，Coupé-Cabriolet，Spider，VOLVO KABLIU。

就造型而言，我本人参与了这两款车型的设计，这两款车很好地代表了宾尼法利纳的两种业务。现在这款是宾尼法利纳NIDO车，这款车很小

瑪莎拉蒂鳥籠概念車75TH

巧，有人称之为智能概念车。虽然它很小，但是它同时也很安全。为了做到这一点，我们在车内设计了全新的安全系统。这款车有结实的外壳，这款车的外壳看起来很像一个蛋壳。车的前部和后部都安装了减震器。就算发生碰撞时，减震器也能减少碰撞的力度。这样这款车的安全系数就高了很多。当我们开始设计车的时候，有一个原则是非常重要的。那就是外形与概念要很好地融合。大家看看这款车，非常清楚它的外形很像一个蛋壳。车身前部采用了一种蜂巢形式的吸能材料，前后保险杠将底盘与外壳结合在一起，乘客实际上是坐在设置在底盘内部的"壳"上。当遭遇正面冲撞时通过可变形的底盘和保险杠来吸收冲撞能量，壳状部分还可分别向前、向后移动350mm和120mm，以减缓冲撞速度。我们是故意没有把外壳设计得很张扬，因为这款车的内部才是我们真正的创新所在。

我要介绍的第二款车就是玛莎拉蒂鸟笼概念车75TH，这款车经常被我们用来举例。鸟笼概念车就是为了庆祝宾尼法利纳成立75周年而推出的，去年在日内瓦首次展出。鸟笼同样是一款概念车，但是宾尼法利纳并没有生产这款车。通过这款车，我们想发掘我们想表现的主题，我们想告诉外界宾尼法利纳想做些什么，我们努力的方向是什么。那就是：活力、创新、激发对光明未来的憧憬。但是，我们并不是试图通过这款车来回答现在存在的所有问题。这款概念车有别于其他市场化的、大批量生产的车。作为一个独立的设计室，宾尼法利纳设计这款车的理念是：不是设计一部需要大量生产的车，而是设计出一款能够激发积极的、纯粹的情感的车。

不管做什么设计，不管你如何做设计，你的第一步肯定是从白纸开始、从手绘草图开始。宾尼法利纳设计室重视创新性和乱七八糟的状态。这意味着在我们的设计室，没有严格的规章制度、没有严格的步骤，也没有严格的一套方法。可能有时候设计室会乱七八糟。虽然"乱七八糟"听上去是一个贬义词，但是在我们的设计室，这样的状态在一定程度上有利于创新。我们的设计室也想一直保持这样的状态。我们想把这样的状态与设计相结合，培养出最优秀的设计师。宾尼法利纳有很多优秀的设计师，每个人都有自己独特的个性，每个人都想说出一些与众不同的东西。意大利的商业文化也允许你在做事的过程中利用你的创造力，而不是预先设定做事的每一个步骤、方法。

很多人都问我为什么这款车名叫"鸟笼"，我在这里将快速地解释一下。这是由在60年代，玛莎拉蒂有一款非常有名的赛车Birdcage Tipo 63，昵称为鸟笼，因为这款车是采用管状构造底盘的，就好像你能在里面养鸟一样，所以它就得到一个昵称——鸟笼。

我们注重的不仅是外形，我们的设计理念是"多层设计"。你最先看到的肯定就是车的外形，这就是你对这辆车的第一印象。通常我们看到一辆车的时候，我们在短短几秒钟内就对它有了初步印象。第一印象非常重要，因为人们很可能在这瞬间爱上你的车。设计师们非常重视这个瞬间，当人们走过你的车，只需三秒钟，他们就可能喜欢上你的车。想想看，视觉的冲击真的非常重要。所以我们喜欢在车上使用简单而又强烈的主题。但是仅仅有外观是远远不够的，因为经过一段时间，外形的吸引力会减少，甚至会消失。所以，强烈的感情必须建立在"多层设计"的基础上。就像洋葱，剥了一层还有一层。所以，我们设计的车的外表是简单的，有强烈的主题，同时它的内部设计是复杂的。我们相信只有这样做，才能够长时间地保持车与人之间的磁场。所以当你站在一辆车前面的时候，你不仅仅是面对它的外观，还面对着它复杂的层次，这才是你看到的最好的车型。这和你遇到其他的事和人是一样的，只有外观和层次的结合才能产生真正的感觉。

我的第二点反思是关于使用电脑的。我要说的不仅是模拟。现今，我们可以通过电脑完成大量的事情，譬如制作好莱坞电影等。但是，在很多事情上，尤其是汽车设计方面，电脑能做的只是模拟现实，模拟怎么做汽车才能开得更快、设计得更安全、更省钱。这仅仅是模拟，与现实是有差距的。正如在鸟笼车的第一张关键图纸上，电脑就可以给我们一些线索，告诉我们怎样能够改进图纸，这是传统的手工绘图做不到的。作为一个有效的工具，电脑使我们有条件融合以前不能融合的因素。

我想说的是，对于一个设计师来说，他要设计的不仅是汽车的造型，就像你们看到的这样，他还要设计汽车的内部结构和细微之处。这又与宾尼法利纳的"多层次"的理念连接起来，对于跑车来说是非常重要的。这些层次清晰地展示在设计师面前，如何安排这些层次，如何设计全凭设计师处理，他可以设计出他想要的任何样子。以跑车为例，不管是设计跑车的排风口还是其他的零件，设计师在绘制设计草图时都要十分小心，而且设计师需要有丰富的知识，不然设计出来的车很可能就不能使用。这也是宾尼法利纳之所以强调"造型之外"的原因。我们真诚地希望在我们以后与汽车公司合作的时候，公司能够给设计师提供必要的软件，使设计师能处理这些技术因素。因为直到今天，受经验所限，设计师自身通常不能处理这些技术因素。这些图片是想展示你设计出一款车的时候，我们可以模拟出它的形状，因为我们有车辆实时动态仿真，可以测试出它真正行驶时的状态，这对我们是非常重要的，尤其在设计跑车的时候。

宾尼法利纳NIDO车

第三，汽车是作为一个完全独立的个体存在的。我们进入下一个主题：汽车的内部。再以鸟笼概念车为例，正如我之前所说过的那样，坐在鸟笼车里就是坐在一堆机械之中。但是，事实远非如此，在设计鸟笼概念车时，宾尼法利纳与摩托罗拉进行了合作，因为车主在车内经常要使用各式各样的电子设备，但是车内的电子设备并不是汽车设计，也不在汽车设计师的设计范围之内。对于NIDO小型概念车，我们采用了同样的理念。大家可以看到，在车的仪表板上有PDA，IPOD和手机。我在这里想说的是：你不一定要买一辆完整的汽车，里面什么设施都完备。举个例子，如果今天你买了一辆汽车是带汽车导航系统的，那么三年后，这辆车已经是非常陈旧了，因为电子设备的发展日新月异，而相对来说，汽车行业的发展要缓慢得多。所以，为什么不把汽车视为一个开放的系统呢？你可以把你电子设备带到这个开放的体系中来，这些电子设备可以是你最喜欢的、你最个性化的，可以是昂贵的、便宜的，也可以是最新潮的。所以我们相信，汽车是独立存在的，又是开放的。

现在我来说说"个人灵活性链条"（PERSONAL MOBILITY CHAIN），我要说的不是汽车了，而是个人的灵活性，你自己在这个链条上自由的移动，我们再扩展一下这个思路，试问大家这样这个问题：如果每个人、每一辆车都有了电子导航系统，那么我们还有必要使用交通标志吗。如果我们朝着这个方向想的话，我们可以进一步考虑一下汽车作为一个独立的个体是否会改变我们周围的基础设施。可能我们通过设计汽车，特别是设计汽车系统，把汽车智能化，更有效地运用电子设备，我们就能更深的影响基础设施。我个人认为把这个假设放在中国这样的环境下更加符合实际。因为在欧洲，很多的东西已经非常固定化了，但是如果我极端一点讲的话，中国还是一张白纸。如果我们把基础设施和汽车联系在一起考虑，如果我们把这两者看作是一体的，那么

这两者就有得到改进的可能。如果在一开始就采取这样的思维方式的话，那么就可以避免日后的许多问题，譬如改善交通的问题。其实讨论这一点就是回到了非常原始的一个问题上了，那就是先有鸡还是先有蛋？你们先做什么？你们是首先改善环境，使环境能够使用新型的汽车，比如氢动力汽车，还是先使用氢动力汽车来改善环境。

宾尼法利纳的一句话这样说：造型的美感来自对高品质的追求；设计是造型与技术、品位与功能性的结合；设计能够使美感与功能和谐融合。

Q&A
罗维·威米尔希（Lowie Vermeersch）

Q：当你着手进行一项新设计的时候，最先想到的往往是什么？
A：往往是相反，也就是说你先有想法，然后才有设计。一般接到一个任务，你首先要去感受这个任务的精神，读懂设计说明。这个问题很难给出一个确切的答案，每次情况都有不同，要具体对待。

Q：你现在领导着Pininfarina三支设计队伍中的一支，要负责很多设计项目，那么你是如何来组织这个队伍，从而高效工作的？
A：我们队伍组织得很好，首先在于其中每位设计人员都很强。我们的管理相当个性化，每天都在调整。你只有首先让他们感觉良好，他们才能设计出好的作品。

Q：从提出概念到最后生产出成品车，需要一定的时间。你怎样来预测趋势，并保证得到一个满意的结果？
A：这是一个很大的问题。你的问题基本就是如何来设计成功的作品。其实预测是很难的，设计毕竟不是科学。但是，如果一个作品能引起我们非常强烈的情感反应，那么往往也能引起公众的类似反应。如果引起了我们强烈的反应，那么就可以来执行它的功能，满足了人们的需要。

Q：文化因素、新兴的生活方式以及美学方面的因素，都会对汽车设计产生什么样的影响？你如何把这些因素考虑到一个设计当中？
A：生活方式的影响的确是很大的。人们现在买车，不仅是为了出行方便，而且还要通过车去表达自己。汽车越来越成为时尚的一部分。我们的设计首先是要对人产生情感影响。其实谈论这个趋势、那个趋势，都没有根据。设计是方也好，圆也好，关键是要引起强烈的反应。

Q：在接受客户委托时，你们如何与客户进行有效的沟通？

A：关键就是要对话，了解哪些人要买车，他们愿意出多少钱。此外，还要明白客户需要的汽车功能，以及他们瞄准的生活方式。当然，还需要做市场研究，这自然不是我们设计师的工作。我们还可以推出概念车，看看市场的反应。

Q：为了今后可以培养出更多优秀的汽车设计人才，你对当前的设计教育有什么建议？

A：汽车设计教育首先是关于汽车的知识。有些人根本就不了解汽车就开始设计，这是不行的。其次，设计者必须要独立体验生活，只有这样才能了解生活、了解世界。你要设计的东西都是从生活中来的，没有独立的生活体验就设计不出好作品。而这些都需要靠激情整合起来。设计是难度很高的职业，有时更是会令人失望，所以没有激情，就无法当出色的设计师。

Q：你能预测一下未来的汽车会是什么样子吗？

A：我可以说说我所希望的下一代车是什么样子的。它应该是绿色环保的，对环境不造成损害的，而这要求有新的引擎和新的形式设计。同时，这些新的形式设计应该体现出积极的价值观。

设计差异：
竞争者无法跨越的差距

一方面，我本身是一个设计师；另一方面，我自己也经营着公司。因此我要站在商业的角度审视自己的行为，向商人解释并证明自己的设计。总有人在事后找到我，说"我们的产品与你们的很像。"在亚洲这是一种恭维，但是在欧洲这就不是什么恭维的话了。但是我总是不由自主地同意他们的话。道理很简单，我不管你身处何方，一旦你谈到了设计，你就是在创造差异。重要的是如何用这种差异达到自己的目的，这才是重点所在。决不要为了不同而去创造差异，而是要看这种差异能否给你带来好处，看它是不是适合你所在的行业。

James Dyson 是一个非常成功的企业，它的老总James 通过富有激情的创新，使公司在市场上特立出群，异常成功。而且他非常有创意地将自己与品牌联系了起来，如果你购买一件Dyson公司的作品，就感觉好像买了一部分James Dyson。这就体现了设计的价值。有很好的例子可以证明：当Dyson 公司在三年前刚刚打入美国市场的时候，他们的价格是当地品牌的两倍。最近我从他们的主管那里了解到，2002年，他们90%的销售额是在英国国内实现的，但是到了2006年，70%的营业额是在英国以外的市场上实现的。他们的品牌力量使整个行业为之改观。

在2000年，我们与英航合作，开发世界上第一个飞机专用折叠椅。当时我们并没有希望通过精心设计而创造一个品牌商品，因为当时英航的业

马丁·达比希尔（Martin Darbyshire）来自英国Tangerine公司，他是该公司创办人之一，主要负责策略发展、开拓新的营商机会，以及统筹产品的设计方向。还是伦敦著名设计学院中央圣马丁大学（Central Saint Martin College）的教授，也是英国皇家艺术协会和英国特许设计师协会资深会员。

绩下降的很厉害，急需发展新的创新产品，来扭转市场局面。这是当时第一套多功能设备，可以被改装成不同的东西，白天可以当作椅子来休息，晚上可以变成舒适的床。在原始设计基础上完成的这种组合式设备的成功之处在于两点：一是空间优势，它比同样规格的飞机座椅占用空间要小得多。二是英航为产品申请了专利，如果英航不出卖专利权，其他同行就不能制造这样的设备。有了这样的座椅在头等舱里，不仅左侧有24个座位，右侧也有24个座位。这个项目成为英航利润增长的推动力。虽然我很愿意告诉大家这个设备的价格和利润，但是我不能。我只能告诉那些对这项投资感到好奇的人们：这个产品刚上市时花费了28亿港元；可惜的是，这不是我在Tangerine 的设计；整个项目的成本包括了安装费用。这么多的成本在上市后的第一年里就收回来了。新产品为乘客提供宽阔的座椅、更多的私人空间，乘客在长时间休息时可以调整姿势，有精巧的柜子可以放置贵重物品，灯光可以根据需要随时调整，可以与同伴形成私密的空间，与旁边的人隔开，也可以打开，与旁边的人沟通，还可以根据飞机的大环境进行合理的调整。我们通过调查了解到：这个产品大大影响了人们对坐飞机的期望值。我们在没有改变座椅所占用的空间的前提下，为乘客增加了25%的空间，并且拉大了驾驶舱与客舱的距离。

我要强调一点，那就是差距。我讲到的公司，他们创造了一个差距，使其他竞争者无法跨越。他们创造了价值，但不仅仅是价值，因为价值仅仅是能看得见的部分，还有看不见的部分。我刚才讲到的品牌都有一个与之对应的标志，或者是产品本身，或者是行业背后的人。我在中国参观了很多有实力的大型企业，很多人问我，当我们把产品和服务出口到欧洲时，为什么当地人没有立刻就想购买的欲望呢？答案就在于中国和欧洲的市场存在差异，技术是一方面，服务是另外一方面。他们对目标

市场的顾客不够了解。

Orange是另外一个例子。他们在英国有很多创新产业，有一个专门提供手机技术的部门，激进的宣传使他们在市场上四处获利。但他们存在一个问题，那就是没有自己的设计人员来设计自己的产品。当然他们有能力设计广告、设计自己手机的界面，但是他们没有能力设计实质的产品，只能从诺基亚、摩托罗拉、三星、LG等公司购买产品的设计。他们可以与一家中国公司或远东的公司合作，从这些公司购买产品。我们与Orange合作，去确定市场的分配情况，看看当前的设计潮流是什么样的。索爱推出了非常有创意的T610，纯粹以设计取胜。曾经一度这款手机占据了欧洲市场，占全部手机销售额的23%。我们认为他们这种做法是对的，因为他们关注自己的顾客、了解流行趋势、了解顾客在使用产品时的需求。我们为Orange设计了他们的独特之处。诺基亚关注"设计感觉"；索爱强调设计的纯粹；我们为Orange创造了新的理念"纯粹的感觉"。它的独特之处在于关注Orange提供的服务。我们为Orange做了设计样本，他们可以拿着这些样本去告诉制造商，他们的产品必须是什么样子的，什么样的产品符合他们的品牌特点。我刚才所讲的不一定都是正确的，只是给大家提供一个思路，可以应用到你们自己的行业中去。

搞设计就是要创造感觉，是感觉在产品与消费者之间建立起了持久的联系。因此一种感觉要体现在产品的每一处细节上。东亚有一种不断创造新事物的渴望。但是对于全球知名品牌，人们不希望有太多的变化，人们希望事物能慢慢演变，体现传统。你的品牌有独到之处，与其他品牌区分开。真正的独到之处是连你的竞争者都会赞不绝口的特点。必须牢牢记住：真正的价值不仅仅在于有形的物体。

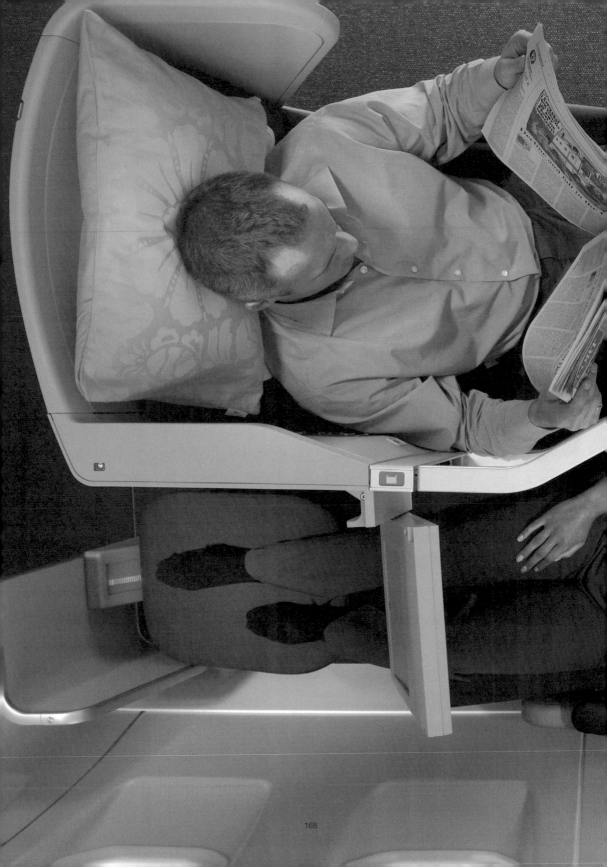

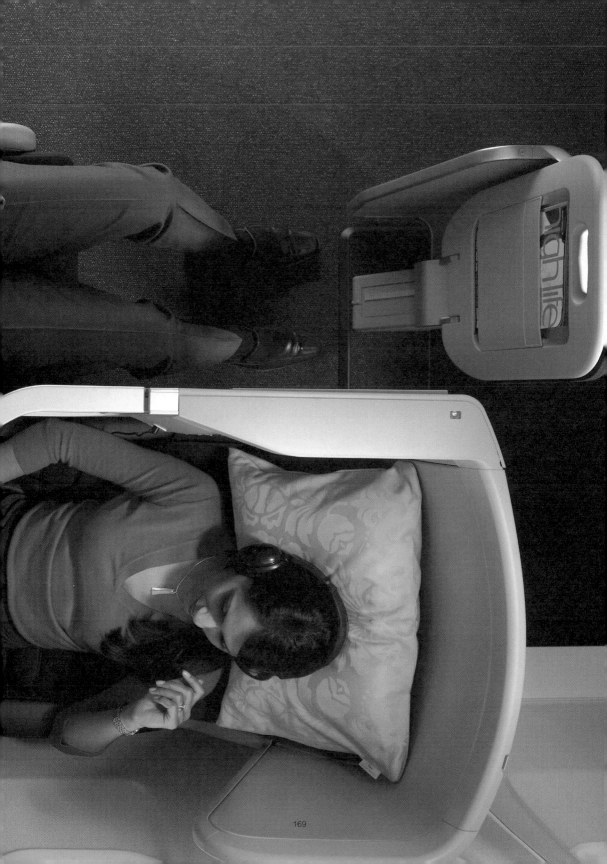

Q&A
马丁·达比希尔（**Martin Darbyshire**）

Q：在1999年您就已经建立与亚洲企业的合作，在2005年，您又在韩国开设了Tangerine的一个办事处。在亚洲开设办事处的主要目的是什么？

A：我们和韩国企业的合作已经有超过15年的历史了，像LG、三星，都合作过。在亚洲设立办事处是非常必要的，这样不但能支持设计工作，而且可以承担研究任务，我们还可以把亚洲的研究成果和我们在欧洲的研究成果进行比较。有很多原因让我们在亚洲开设了办事处。而且在亚洲开设办事处还能让我们更容易地调动员工。我们需要员工在不同的环境下工作，而不仅是在伦敦本部。我们生活在一个世界中，各国间重合的越多，彼此理解越多，就越好。

Q：Tangerine是一个进入亚洲的非常成功的公司。在您看来，如果要在一个不同的国家、不同的文化环境中发展，一个公司应该具备哪些条件？

A：我想关键是理解文化。我们要很好地理解客户的需求，作出正确的决策。亚洲在这方面是比较先进的，这就要求我们也有较高的水平，要能适应环境。所以文化理解是非常重要的。

设计的关键是人。韩国的设计师会告诉我们，我们哪里出了问题；反过来，我们也会告诉韩国的设计师，他们哪里出了问题。当然，这不是说我们一定要让设计出来的东西同时适合两个市场，毕竟这两个市场是不同的，有不同的文化。

Q：有些小公司进入新市场时，他们没有能力来找到合作伙伴，那么他们怎么来进行文化理解？

A：这样的话，情况就会比较困难。但即便如此，你也可以进行文化理解。比如，你可以观察分析别人的产品，看看有关的杂志，访问一下有关的网站，留意在这个市场中已经立足的产品。当然，这样做其实是比较肤浅的。如果真的要理解文化，还需要更深地去理解。处在新的文化环境中是会有风险的。设计一方面就是迎接风险，另一方面就是处理风险，学得经验。

Q：创意现在已经成为了商业中非常重要的一部分。但是此外还有别的非常重要的组成部分，比如推广、市场等。那么设计如何与这些部分很好地衔接呢？

A：唯一的方法就是去了解商业，明白商业的精髓，它的特许，然后去考虑如何实现这些精髓和特性。有许多企业都做到了这一点，这方面的例子有许多。比如惠普公司就很成功地设计了它的笔记本电脑，很好地适应了市场，而且很有特色。但同时，又与客户很接近，而不是在挑战客户的接受力。因此这种设计受到很大欢迎。这也可以从惠普的广告中看出来。设计应该和别的商业要素很好地结合起来。

Q：Tangerine获得了许多国际设计大奖。但我想获奖并不是评价设计产品的唯一标准，那么评价一个设计产品的标准是什么呢？

A：这取决于你的视角，你的设计目标。有的时候，你的设计就是要让一个产品引起人们的注意，至于产品成不成功，就无所谓了。这样其实比较简单的，你就是要让一个产品越独特、越标新立异，越好。而比较困难的事情是要让一个产品卖得比较好。而Apple的成功之处就在这里。要让大量的消费者都接受你的设计，这个是非常不容易的。当然，这也是最重要的。如果你的设计能做到这一点，那么就能让商界的人接受你的设计。

设计的收益观念

皮特·莱克（Peter Zec）是德国红点设计奖的主席，也是埃森设计博物馆馆长。他是国际著名设计奖"红点设计奖"的创始人，在世界各地担任设计顾问，拥有20多年经验。

在我的从业经验中，我学到的是如果你把钱放在某个地方甚至存入银行，你将不会有任何收益，如果这些钱没有被动过。如果这些钱没有收益理念作为支撑，你将永远不会有收益投资。

我们先从1979年开始，这个故事发生在马自达汽车公司。在1979年，这家公司产生了生产新款小型跑车的想法，而后发生了什么呢？事情发生在美国，美国人约翰·保罗和马自达的首席设计师坐在一起接受访问，一位记者抱怨说，"为什么马自达总是生产不受欢迎的车呢？如果你不改变理念，没有更好的想法，怎么能成功？"我们说的是那位记者做了这件具有开拓意义的事，这不是设计师而是那位记者提出的。而马自达花了近10年的时间，从1970年代到1980年代，才实现了这个想法。马自达的首席设计师山本先生付出了很多努力才使马自达的董事会相信这款车，这种新款小型跑车会带来巨大的成功，将会完美地融入马自达系列中。大家应该都知道了，这就是马自达MX-5，这款车设计得很漂亮。我看到这款车时，我女儿刚刚在1989年出生，而我是在80年在洛杉矶看到的。当时我想如果她现在18岁——因为在德国18岁才可以开车－我一定买给她。比较愚蠢的是，在我女儿七八岁时，我把这件事告诉了她，而她还清楚地记着。问题在于，这款车还在卖，而我的女儿来年就18岁了。可以想到我是怎样一种处境，她已经问过我说："爸爸，你会给我买什么颜色的？"如果我们把这款车和后来1994年产的Spider和1995年产的Fiat Barchetta相比，我们就会很快明白马自达带来的讲求收益的理念是怎样的。我给的数据还仅是在德国的，马自达的这款车售出量是以上两款车总和的三倍还多，而且那两款车已经不再生产了。而马自达在2004年开始了新的记录，2004年度在全世界售出720,000台，而这是历史新高。所以你可以看到想法的生命力，这个事例有力地说明了收益理念的重要性，即从投资中产生收益。收益理念意味着从投入的创新中获得成功。我所说的是，思考的是质变，而后由质量扩大数量，质量在先。所以你如果只想赚更多的钱，一般情况下你会失败的或者不会取得像上面例子那样大的成功。

问题是：什么是理念？我听过Narrado 的回答，他说："理念不是问题，我们完全有理念。"我想每天我们周围都有数以10亿计的想法，在这间房子里就有许许多多的想法，问题是如何使这些想法存活下来，什么样的想法能活下来，怎样找到这样的想法理念？比如，我在google上浏览，一年半以前我发现了87,500,000个想法，而今天早上我在google上找到500-600万个由想法而产生的收益结果。所以这是一个很大的市场，这里有很好的商机。现在人们都喜欢谈论他们的想法。我很确信你们已经在网上注册，因为我看到过你们的网上ID。如果没有，你们应该去试着这样做。

那么什么是理念？美国建筑家路易斯曾说："想法就是你要去做些东西

173

出来。"这就说明了仅有想法是不够的，你得去实现它。如果你的想法是正确的，那么这个想法就能够存活。

在市场上，人们有自由拥有不同的观点。你非常喜欢的，不见得在市场上的其他人会喜欢，他们很可能有另一种品位。这就是在《规律和形式》中所提到的，你总是不自觉地创造三种形式，创造内在形式，外在形式，第三种是介于两者之间的形式，我把它叫做"交流的形式"，这本书中没有这样的名词。如果你是一名成功的设计师或是一家成功的公司，那么就要传达你的设计方式、你的规则和你的系统。如果你能将这些传达到市场的某个群体，市场认同你的价值观，你的产品就更容易地被接收。

2000年设计年的获胜者——索尼公司就像在这个产品展览会中一样赢得了很多人的青睐。那么索尼的理念是什么？索尼的理念是"做别人没有做过的，永远走在别人的前面。"我们可以称之为"创新"。"创新"就是索尼公司的第一黄金法则。如果我们看看索尼的主要竞争对手之一——松下公司，松下有着一种完全不同的理念。松下说：我们的第一目标就是"跟着队走，决不领队"，我是从松下的创始人那看到的。他们所做的就是，去寻找别人做的东西，然后努力在技术上提高产品质量，决不创新。通过松下取得的成功来看，这很可能也是很好的途径。这是2004年的数据，索尼的净销售额是 62,000,000美元，你们能猜到松下的净销售额是多少吗？谁认为松下赚的没有索尼多？谁认为他们赚的更多？他们赚得几乎一样多。他们只是跟着别人走，就赚了相同的数额，已经很好了。但我们看另一组数据，如果看品牌价值，索尼的品牌价值比松下好4倍。这是很说得通的。如果我们看每年的品牌排名，索尼位居20而松下排在77。索尼的理念是从产品问世到淘汰的整个过程都做下去。这很有趣，你们可以借鉴这一点。我们有清晨、上午、正午、下午、傍晚直至太阳下山。从市场看，首先是塑造市场、创新产品、渗透市场，正午时主导市场、扩张市场、区分市场和市场状况。所以索尼了解他们的对手，知道要创新，要抓住产品的上升期是很重要的。市场的衰退期比上升期要困难得多，对我们大家都是如此。这也是苹果公司成功的方法。

德意志银行有一个广告，"成功是正确的决定的集合"，当然这说起来很容易。什么是正确的决定？总是事后才知道是不是正确的决定，策略也是实践后才有的。所以我很容易在我成功了之后，谈论我的成功。每一个在台上的设计师都能谈论他们的成功，这很容易。当你们问他们，你是如何找到灵感的？你是怎样做到这样、做到那样的等等？在他们成功后，回答这些问题很容易，他们可以很容易找到策略。但是却很难先做到成功先给出策略。我再举一些Red Dot内部成功的例子，比如说亚洲公司，起初大家并没有期望该公司会有好的排名，但却在名牌个人电脑系统上排在第四位。该公司在2005年是美国增长最快的公司，由于好的设计年收入达97亿美元，那些人的设计很好，你们可以完全相信，因为这在Red Dot是很少见的，对国际评判委员会对我而言都是很少见的。

由此可见，好的设计可以使企业生存下来。上面举的都是大公司的例子，这很容易。你们可以说，是的，因为你们是全球性大公司才会很容易获得巨大成功。下面我要举一个一家德国中小公司的例子来证明以上说法。这就是Duanbra，该公司说他们的理念是"纯粹、明朗、流畅是他们产品设计的核心。"他们的设计真的很好，因为他们一直在努力做出更好的设计。因此不仅受到了红点（Red Dot）的奖赏，还有其他的赞誉。这很重要。在1985年和1993年，他们创作了两件非常有趣的设计。你们看。他们对这两项设计共投资了2,000,000美元，一项投了500,000美元，另一项投了1,500,000美元。有趣的是，这些设计在5年内的回报是305,000,000美元。你可以看到，到现在为止－这些是我们从公司得到的真实数据－公司营业额的40%是从这两个设计中赚来的。如果看这个公司的发展历程，这家公司从1996年的52,000,000美元发展到2004年的117,000,000美元再到今天的近200,000,000美元。所以这家公司一直在不停地上升。如果你进入世界领先的宾馆，会看到Duanbra的产品。这类产品的销售指数说明了这家公司取得了真正的成功，整个业内产品的销售指数3.6%，而Duanbra的销售指数为285%。这有力地说明了为什么要投资设计的原因。但要记住我们的朋友艾伯特说的，并不是所有的事都可信。我今天下午举了很多数据，可信的未必都重要，重要的也未必都可信。你们要记住，没有必要在一开始拥有最大的回报理念，但应该马上学会回报理念。

red dot
design yearbook
2006/2007

Peter Zec (Ed./Hrsg.)

reddot edition

Q&A
皮特·莱克（Peter Zec）

Q：你在世界各地参加了很多设计活动，谈谈你对香港设计营商周的印象吧。

A：事实上，从设计角度讲，对于我来说香港是一个非常棒的城市，它的方法非常独特。首先，我认为最重要的香港是从两个方面去看待设计问题，这就是设计的角度和商业的角度。把大家集中起来，并邀请嘉宾，包括明星设计师、大师和优秀实干的设计师，这样达到平衡。大家一同讨论，同时邀请很多感兴趣的老师、学生还有企业家，这是非常独特的。另外，我认为这个活动非常重要，世界上其他地方注意到了这里，尽管他们没有特别这么做，但当他们浏览互联网时，他们看到这个项目，他们会非常感兴趣。此外，这样的活动形成了竞争，而且香港加入到了当前的竞争中。

Q：大家非常关注设计中本土文化和传统因素所发挥的作用和产生的影响，对此你有什么见解吗？

A：这是一个很难的问题，因为现在的产品如果想大量销售的话，必须在世界范围内销售。在产品中非常明显地体现出文化和传统因素是很困难的。我想这和设计师本身的设计方式有很大的关系。因为设计师本身是有文化背景的，可能你在一件成品上看不出来，但是在生产过程中，设计师的设计理念中都可以看到文化因素。即使是成品是具有国际化特点的——事实上也理应如此——但产品的材料，设计师是如何选取材料的，如何加工材料的以及怎样处理材料，这些都是不同的。我认为在全球竞争的环境下，这样的差异是非常重要的，你的产品会变得多种多样。比如刚才BMW做的演讲，德国人对BMW感到很失望，因为BMW引入了很多美国文化的元素，美国对BMW生产出来的国际产品影响很大，所以德国人不再喜欢BMW了。但也不是说BMW业绩不好了，从全球看来，BMW的销售业绩比以前提高了，你理解我的意思了吗？也就是说美国文化影响了德国文化，它们相互碰撞，但是在全球市场上，产生了一种新的文化，它让企业的经营状况更好。

Q：你认为设计师自身发展应该走一条怎样的适合之路？

A：他们自己的方式。他们应该发现自己身上存在的可能性，他们应该将自己本国的文化融入到设计中，不要总是关注西方的东西。他们可以利用最好的技术，但他们应该将自己原创的想法融入其中，不要总把设计和西方以及设计大师联系起来。年轻人总是崇拜优秀的设计大师，但如果你看看这些大师的作品，他们没有什么重大的设计，他们设计椅子等都是家具，他们不是真正的设计师，而是技工，设计是很复杂的。如果只是弯曲材料就能出名，虽然用来宣传还是很有效的，但对于年轻人来说并不是好的榜样。

Q：世界变化得很快，设计也是如此，你认为设计如何发展才能变得有活力，对商业更加有益？

A：我认为，现在的公司如果没有好的设计，就无法生存。从这个角度说，设计是创新的最大推动力，还有新技术和新材料的使用，把这些因素结合起来就是设计的任务。

情景化零售空间

在我的头脑中，剧院就关联着环境、主题，像是咖啡馆、迪斯尼乐园，这不是我们经常做的工作。然而世界上的剧院总是对我有着极大的吸引力。我经常去剧院，喜欢剧院的氛围，让我觉得是一个可以得到愉悦的地方。我想剧院对我来说具有一种联系的作用，关于人们、演员和观众的联系，私人的、亲密的关系。演员与观众的关系是很特殊的。这种关系虽然并不真实，但却是我们的日常生活中经常经历的，关于如何生活、如何工作等。我想世界上的剧院、餐馆、休闲场所和零售店都有很多共同点，遵循许多共同的原则。

我有一个特别好的朋友是一位剧院设计师，我们都认为我们之间的关系与空间之间的关系很相似。他对剧院的诠释就是色彩、乐章和灯光，与我们的设计的基础大致相同。我想不同的就是大家讲故事的方式不同，在剧院里就是通过角色和情节来诠释，就像剧情的设计，有开始、中部和结局，描述性的，好像在讲故事一样。与零售店相比，如果你愿意的话，也可以采用这种讲故事的形式，来安排空间，也可以把他们分成开始和结束两个部分。

在零售店里，我们所要讲述的都是关于品牌的故事，品牌代表着什么，品牌和品牌之间的交流。任何品牌都有他们的目标顾客，有时是非常有针对性的。我们工作的重点就是顾客们如何理解一个品牌。大楼的外观和整个

莱希德·丁（Rasshied Din）是著名的英国室内及平面设计顾问公司Din Associates的创办人。自1986年以来，他为多家零售品牌如Next、Selfridges、French Connection等提供设计服务，建立了受到众多好评的餐饮协会。他是英国皇家艺术协会资深会员，2000年，他出版了颇受好评的书《新零售店》。

零售店给人的印象有很大的关连，它是第一印象，会让人产生联想，就像戏剧里的第一幕，看了这一幕就大概可以了解结局。下面这幅图就是我在几年前为Next设计的，我们的意图很明显，就是要创造出一种简洁、有活力、青春的、前卫的环境，并让人一踏入大门就感受到这种信息。

环境很重要。这要取决于我们所做的品牌是什么商品，以及品牌自己是怎么给自己定位的，我们在做设计的时候基本上不用考虑这个问题。至于人们在看到我们的作品的时候，是否会因性感而感到兴奋，我也不是很清楚。我想所有的作品都会有一种特殊的感觉。在做零售的时候，不论是食品，还是餐馆，所有的感观都是很重要的，无论是味觉、视觉都要创造出一种环境，让人们感到舒适、放松。也许顾客确实感到了性感，但我也不是很清楚。但平衡品牌设计的独创性和雇主在成本控制方面的顾虑一直以来都是一个难题。当然，有些雇主是能够负担得起高昂的费用的，但有些就不能。这与品牌的定位有关，有些属于高档市场的品牌，有些则比较平民，当然我们是有极限的。我们与Raphron合作过很多年，其中有一个项目他们的花费是每平方英尺455,000英镑，还有一

个项目是每平方英尺60或是65英镑。我想这是对设计师的一项挑战，使之能够同时适合项目的需求、满足顾客的要求。因此我们需要作出最合适项目的设计，同时费用又是可以承受的。我们的目标是运用一切可以运用的手法来作出最好的设计，同时要清楚各方面的局限性。我想设计师们应该会更深刻地了解我的感受。我们要做的是达成所有人的希望，完成所有目标，同时又有很不错的作品呈现出来。要达到这些并不容易，但很有挑战性。

人们经常提到的另一个问题是如果我的作品受到了批评，我如何与雇主沟通。我想大多数设计师都会认为自己的设计就是最合适的，顾客应该完全同意自己的想法。但我认为我们需要与雇主很好地沟通，清楚地了解他们的想法，这样才能够完全满足他们的要求。我的很多雇主都是与我合作很多年的，首先就是你需要向你的雇主证明自己的能力，使他们了解你、信任你。一旦获得了他们的信任，你就可以进一步发展这种关系，你可以更好地挑战雇主的想法，帮助他们发展他们的品牌。这种关系的建立通常需要很多年。关系越牢固，你的作品的效果也会越好。

Q&A
莱希德·丁（Rasshied Din）

Q：您的设计公司业务包括了室内设计和平面设计，您认为这两种专业之间如何相互作用？

A：对我而言，两者间的关联是非常非常重要的，因为如果你要设计一个项目时，对项目有个整体的了解是很重要的。我认为二维或三维设计同时进行会更好。

Q：如今是个数字时代，数字技术在室内设计中的使用越来越广泛，高科技在当代设计中的应用是否越来越重要？

A：对，我的意思是科技的进步对项目设计来说是非常重要，对每个项目的发展都是如此，也是非常关键的。比如说项目是如何生产出来的，你在办公室如何工作、设计，对我们的客户来说也很关键，他们如何处理我们的设计、产品和品牌。我说过我们要共同合作这一点很重要。就是说，在数字时代，我们走到哪里，都是我们生活的这个世界的一部分，所以我们会利用所能得到的一切帮助跟上工作的要求。所以数字时代非常重要，技术也非常非常重要。

Q：在过去的20年里，您与许多著名的客户合作，像哈罗德百货公司(Harrod's)、V&A博物馆等，其中您更侧重哪一领域？

A：我觉得每种类型都很重要。我一直都想当个设计师，但我从没想过局限在某个领域。我的公司专做零售业的设计，也因此成名，但就我个人而言，我特别想做剧院、博物馆、展览、广告、公共场所的设计。做不同的东西对我是个挑战，对我来说，这种挑战是很重要的，我能因此用不同的方式做不同项目，和不同的客户打交道。我的工作最大的好处就是多样性，我喜欢这一点。

Q：根据您20年零售业的设计经验，如何看这个领域设计的发展与变化？

A：你提到数字时代，我想对零售行业来说，这也同样重要，未来零售业的发展将依赖于新科技的发展。无论是服装设计、家具还是别的产品的客户都是从事发展和生产工作的。我想我们的工作就是使这些工作变得有趣。在数字时代，帮助人们更便捷地熟悉所生活的环境。比如如何在楼群中找到方向，比如说去机场的路，由于数字时代的帮助，人们能在巨大而复杂的建筑中找到方向。在有一次会议中，我们谈到数字时代是如何帮助零售商认出顾客的。如果你是伦敦Gucci（品牌名）的顾客，你走进香港的Gucci店，店员并不认识你，有了数字技术的帮助，顾客一走进店，我们就能知道你是星级顾客。数字时代可以做到这一点，这一点对于将来我们利用这些信息帮助零售商了解客户，和客户建立良好的关系至关重要。

Q：也就是说，零售业设计的关键是要帮助零售商建立和顾客的联系？

A：联系是非常重要的，这种联系建立在零售商和顾客之间，建立这种联系很重要，所以你所能提供给零售商关于了解顾客的帮助越多，这种联系就越坚固，顾客惠顾的次数也就越多，这样就建立了一种忠诚感，就像去餐厅吃饭，如果服务员认识你，你会感觉很好，和你一起去的人也会感觉不错。这很棒，这意味着你们之间建立了一种联系。

Q：为了帮助客户确定目标顾客，了解客户需求，您要进行什么样的相关调查？

A：做调查很重要，有时客户自己也会做大量的调查，但是通常你的调查研究给项目提供的是知识和经验，但其他客户和零售商的知识也很重要，因此我会建立一个知识库，包括其他客户和零售商的经验，经验很重要。

区分好想法和坏想法

隆·阿拉德（Ron Arad）是世界著名建筑师、产品设计师，他成功地结合了有趣的外形和先进的技术，追求印象派设计主义的创作体验，突破界限地进行创作。他现任英国皇家艺术学院的产品设计系主任。

我忽然意识到，在过去的25年里，我没有任何长进。我遇到了我的老师，弗莱林克教授，他跟我说："你知道我最喜欢你的哪一件作品吗？我喜欢你的rover chair（流浪者之椅），我想得到一个。"要知道这是我的第一件作品，而且在过去的25年里我一直非常努力。正是这把椅子把我推进了家具设计行业。之前我完全没有预料到我日后会成为一个家具设计师。

我学的是建筑，也试着在一家建筑公司工作。毕业之后，没有多久，我就发现我不适合给别人打工。我觉得这很难，尤其是在吃过午餐以后。于是有一天吃过午饭以后，我没有回到那个阿姆斯特丹的工作室，而是去了一个废料场，在那里做了我的第一件家具，也就是rover chair。基本上这把椅子是来自一个报废的rover car（罗弗车）。我把车的座椅卡在管状架子中间，我用了圆形，那个时候将外观做成圆形的很少，那个架子是一个1932年的设计，宣称这把椅子是专为飞行员、牛仔设计的。所以这完全是个现成的设计。而这个设计让我成为了一个设计师。我在Covent Garden有一间工作室，我在那放了两把这个椅子。没有人对它们感兴趣。有一天，大概是在圣诞节附近，工作室已经关门了。有人来敲门，我告诉他，抱歉我们关门了。那个人操法国口音，说："我想买这些椅子。"我说："当然可以，我们还在营业，进来吧。"他买了七把rover chair。当时我一共只做了两把。他当时用支票把钱付给我了，

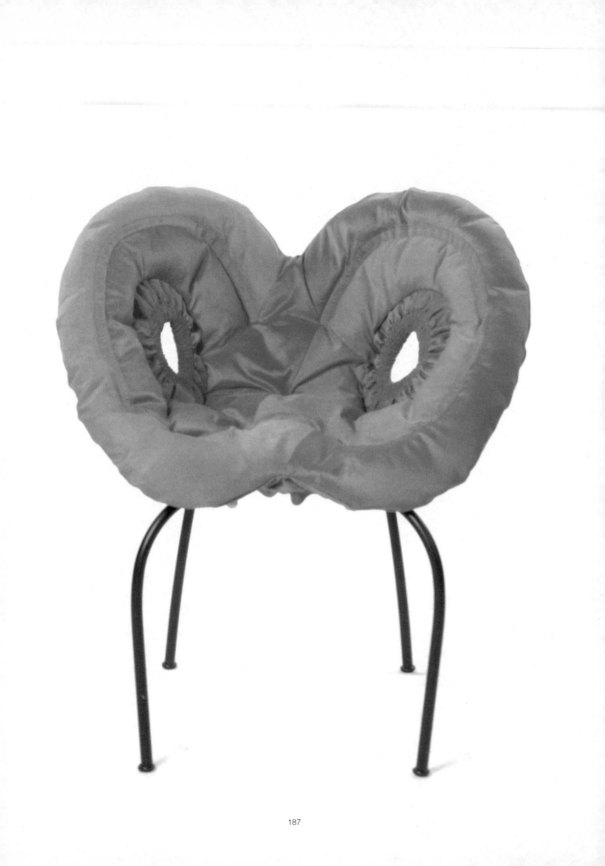

DOLCE & GABBANA presents

ron arad
Blo-Glo

7th - 9th april 2006   10h00 - 20h00
in association with The Gallery Mourmans

然后留下了他在巴黎的地址，让我把椅子送过去。那天之后，我的合伙人卡罗琳（Caroline Thorman）回来了，看着那张支票，说："是Jean Paul Gaultier买了这些椅子。"我说："这哥们是谁啊？"那是1981年的事情。我想那个时候他也不知道他会成为什么样的人。他过去经常来伦敦，那些类似街头时尚的东西给了他很多灵感和启发。那之后，当然并不是因为这个，这把椅子一路走俏。就像被施了魔法，人们就是想买这把椅子。一年前没有人想要，Gaultier买了之后，所有的人都想要了。并不是因为Gaultier买了它，因为喜欢什么本来就是很私人的事情。

但是之后发生的事情确实很令人惊奇。我有了这个工作室，我尽可能地做好我份内的事情。拿一块钢板，锤打，直到弄成椅子的样子，并且让它坐上去很舒适。做第一个，很好，第二个，不错，第三个，还行，到第六个的时候，你就会觉得厌烦，想做点别的。所以世界上只有六把这种tinker chair（手工打制的椅子）。这一把，我上周在苏黎世的一个展览上看到它，是以很高的价钱从飞利浦的一个拍卖行买下的。很令人惊奇。那像是个纪念碑，记录了我当时完全不知道怎么做东西的经历。当时都是即兴创作。

之后我在伦敦从一份名叫《蓝图》的杂志上读到一篇文章，文章标题是

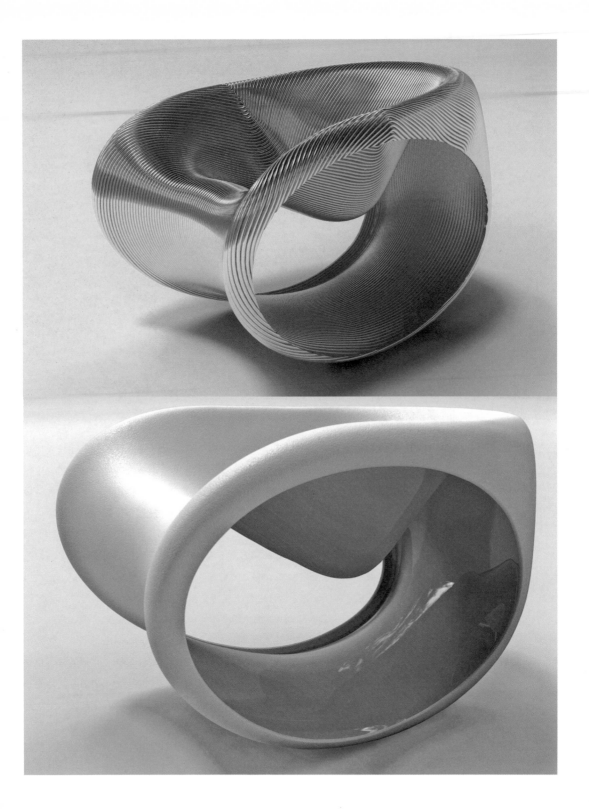

　　"一个喜欢椅子的人"，写了一个叫Rolf Fehlbaum的人，有一张他和他的rover chair的照片，照片下的说明文字说我大概是伦敦来的最有趣的一位设计师。其实那时，我还不是个设计师。但正是他邀请我去做设计。他是Vitra的掌门人，这是一家很大的欧洲制造商，也很先进。为了设计Vitra系列，他把我带到他们的车间。那是我第一次看到他们是如何做家具的：机器还有2000多个工人从事生产工作。从那里回来之后，我做了这个。我能做什么呢。要做这个其实并不需要Vitra，我是自己做出来的，Vitra只是对它进行了克隆。如果需要解释的话，这是一把椅子的简单模型，用四块调质钢板（tempered steel）做成，将钢板弯曲，用蝶型螺母接起来。你可以把它拆开，tempered steel没有记忆。如果不加蝶型螺母，那么就成了四块平滑的钢板，就像这样。我知道这肯定是很舒服的。其实要让一把椅子坐上去很舒服，没有什么很神奇的秘诀。相反很简单，不过就是调整好椅子的倾斜度，和背部的关系，调整高度，就这么多。但是我不知道的是，这还会给人带来另外一种舒适感。第一次坐在上面，你会有意外的收获。你是坐在钢板上，但是感觉就像水床。这把椅子，人们在第一次坐以前，总会有点犹豫。但是一旦坐上

去了，我曾经录过人们第一次坐上去的情景，他们说出来的话全是一个样：实际上，坐上来还真舒服！所以说，坐上去了以后他们的感觉和预想的完全不同。之后我们又用碳素纤维做了这种椅子。

从外表上看，搭配了各种颜色的耐候钢corten steel，钢材的颜色也就是这个建筑物的颜色和形象。它不仅仅是建筑脸面也代表了这个建筑物的结构。这栋建筑使用了不止一种颜色。混合搭配的颜色，支撑物都是直角，干净，最大程度地呈现了展示空间，一秒钟你可以看到全部展示厅。

我从事的这个行业，所有你看到的都是人家已经做了的，都是一些灵感和影响。但最重要的还是工作本身。你接了一份工作，就必须要有所交待。你要选择一条道路。究竟该怎么做？是这样做还是那样做？必须要选择一个方法。但与此同时，你也必须要记住其他那些你一时放弃了的选择。问题其实并不在于想法。这是个很典型的问题。想法无穷无尽，这是最简单的。对于学生来说，在整个创作链条上，想法是最最简单

的一环。问题在于，怎样区分好主意和坏主意，选择在哪个想法上花时间。就好像，有许多人，你只能跟其中一小部分人谈话而不能跟所有的人都聊上一聊。所以关键在于把你的时间花在哪一个上面。

我喜欢金属。但是这也只是世界上的一种材料，大千世界除了金属也还有别的许许多多材料。我采用金属，因为这种材料确实宽宏大量。像我给大家展示的，你可以将它弯曲，滚动，打磨，切割……我从不曾设想自己是个手工艺人，我想你要是用木头的话，你必须得具备工匠的素质；要是用金属，那就不用了。早年我有一个金属工场。一开始非常粗糙，但做得很复杂，我们都成了工匠。那件事提醒了我，所以我关闭这个工场，我可没打算做个手工艺人。我不想像周围很多其他人那样把自己限制在那些工具上面。是的，我喜欢金属。但这绝不是说这是唯一可以选择的材料，连我最喜欢的材料都算不上。所有的材料都是我最喜欢的，就好像没有一个颜色是我最喜欢的，它们都很好，关键是如何使用。

Q&A
隆·阿拉德（Ron Arad）

Q：你设计了很多椅子。有些人认为这些作品是一些艺术品而不是产品。你如何评价你的这些设计。椅子是一个永恒的设计主题，你自己对椅子有怎样的感觉？你能否用自己的话来给椅子下一个新的定义？

A：椅子就是你现在坐的那个东西。我的设计中有一些椅子是属于工业设计，它们被生产出来，经过销售、流通、仿制，这是一种。与此同时，我还设计一些并非用作商业销售的椅子，这样的椅子可能会卖给美术馆。对我来说两者其实没有什么分别，我并没有采取不同的方法来设计它们，我不认为我需要在两者中进行选择。

Q：你怎样定义奢侈？你是否认为消费上千欧元在酒店里住一晚可以称得上是奢侈，或者是其他的东西？

A：奢侈大概就是一些你负担不起的东西吧。我认为文化一般来说就是一种奢侈。如果你肚子饿的话，你应该会有什么吃什么；可是你要是不那么饿，你可能会考虑加上一点辣的调料。这就是种奢侈了。如果你足够幸运的话，你可能还可以享用特别美味的食物。

Q：似乎新技术在设计过程中发挥了很重要的作用。我们都觉得一个设计师应当非常了解各种相关技术，那么你在设计的时候是如何运用各种技术？

A：在我的工作室里，每一个人都在画。你今天看到的各种图像都是这样完成的。我也是自己画图，当然也用电脑，然后再用网络传给大家看。大概10年前，我问我自己，现在大家都用电脑了，我会不会落在后面，因为我用铅笔做图。我并不认为这个领域需要比其他领域更多的技术。

Q：你曾经谈到你的学生都很个性化，你能不能给我们举个例子，讲讲他们是如何做设计的？

A：我不能说某个学生的具体情况。很多学生课上课下都很努力所以才会取得成绩。Sam Buxton和Paul Cocksedge是两个很好的例子。你知道Paul Cocksedge吗？（英国年度设计师），他们是两个完全不同的设计师。Sam不是那种很有天分的设计师。有些人很自然地，也很容易地就能做出一些设计，而Sam就不是这样。在课程一开始，他显得有些不知所措。可是后来很偶然他发现自己可以发明一些东西，之后就感觉轻松很多，做起来也好很多。Paul就很有天分，有很多想法。只要看看周围的东西，他就会受到很多启发。我们教导他们，也鼓励他们。"教"可能并不是一个很合适的词。我们告诉他们要勇敢，不要放弃自己的想法，而不是训练他们一味满足别人的需要。要知道这是研究生的课程，你要做的不是教给他们最基本的东西。

Q：你做了很多产品设计，也做了很多建筑设计，你是否觉得它们之间有互补性？
A：当然是这样。我并没有发现这两者之间有什么截然的分别。尽管就我的工作室而言，建筑设计是第一位，工业设计是第二位的。

Q：我想知道为什么你没有计划在中国做产品？因为中国企业仿造你的产品吗？
A：有其他的原因。这里的价格很低，还有市场开发的问题。此外，比如在欧洲，设计行业必须依靠产权保护才得以生存。而我并不清楚这里的情况，所以没法告诉你。

Q：你在学术界也很活跃，那么你对目前设计教育有什么看法？认为有哪些方面可以改进吗？
A：说到设计专业的大学教育，我认为服务经济发展的需要不应该成为一个首要考虑的问题。开发学生的潜能是最重要的。

不要顺理成章地接受一切

施德明（Stefan Sagmeister）是世界上最负盛名的平面设计师之一，他被认为是90年代平面设计领域的代表人物。他的设计融合了质感与概念，流露出其幽默的性格和对简约主义的喜爱。施德明先生的设计曾经获得了格莱美奖，客户有滚石、JC等。20世纪90年代初，他曾在李奥贝纳的奥地利和香港两地工作过。

大约在6年前，美国处于她的鼎盛时期，富有而强大，而我工作所在地，同时也是施德明工作室所在地——纽约更是如此。但就在这样一个鼎盛时期，我决定关闭我的工作室，为期一年。我之所以关闭工作室是为了我的客户，也是为了把这一年的时间用于做实验。在最开始做出这个决定的时候，我也心存疑虑，我不知道一年之后人们是否就忘记了我，我也不知道一年之后我的客户是否还会来找我。后来发生的事情让我相信我的这一决定是我开创工作室以来所做的最英明的决定之一。那一年我产生了大量很好的创意。

正如大家所知道的那样，在2001年的美国，特别是纽约，所做的任何事情都不可能与9·11事件没有关系。但是在2002年，我的客户们给了我极大的自由空间去设计。当时，我有一个客户是一家杂志社。他们在杂志上给我留了12页的空白页来设计。这12页中没有任何的广告，也没有任何其他的东西，全部留给我去设计。对我这样一个平面设计师来说，这是不可多得的机会。我当然接下了这份工作。当我开始着手工作的时候，我才发现对于一个平面设计师来说，拥有这么广阔的自由发挥空间也是一项棘手的工作。我一直在想我应该如何设计这十二页空白。于是，我重新拿出2000年所写的日记来读。我的整个一生都保持着记日记的习惯，但是那一年的日记是最完整的，因为那时我关闭了工作室，有更多的空余时间。当我阅读我那些日记的时候，我看到了一个清单，使

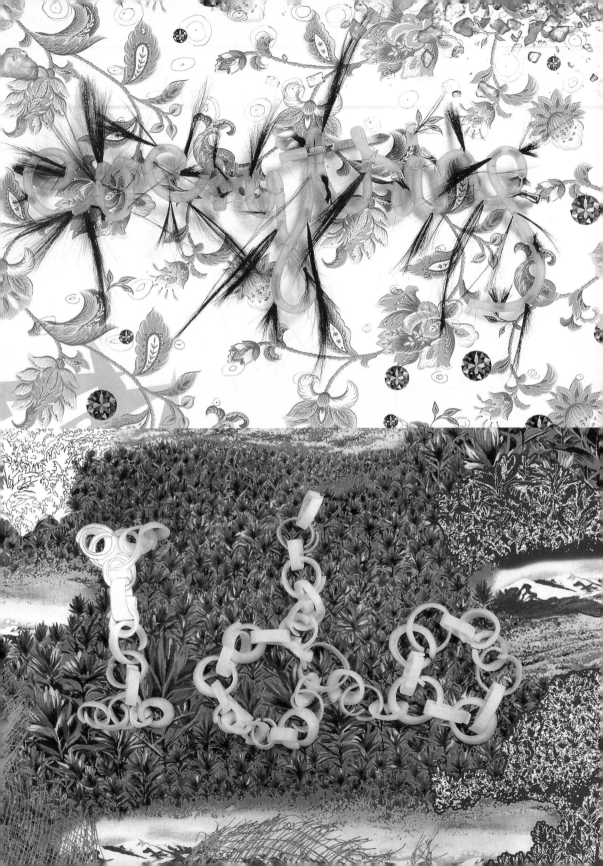

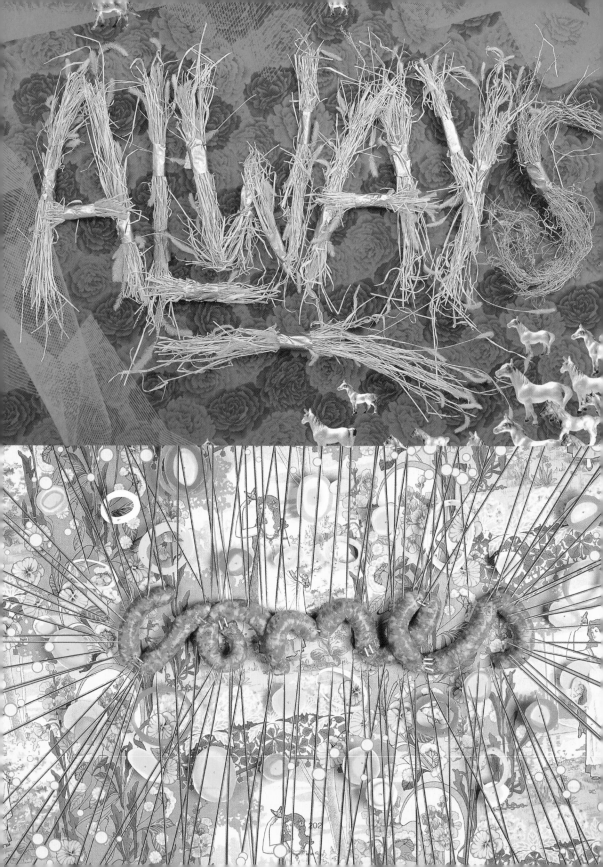

我回想起当时的一些想法。于是我选出这一张张图片，作为12页空白页的背景，我在这12页的第1-2页的图片上写着：Everything、第3-4页：I do、第5-6页：always、第7-8页：comes、第9-10页：back、第11-12页 to me，连起来就是"Everything I do always comes back to me."奇怪的事情发生了：读者们都不顾麻烦给杂志社打电话，询问是谁设计了那12页。然后他们给我们写信，要求打印或者复印那些图片。我们不仅从读者那里、还从一群美国设计师那里得到了强烈的反响。这些设计师重新融合了这些场景，设计出了他们自己的版本。

两个星期之后，我接到了一个来自巴黎北部郊区的电话，告诉我他们有一些户外展板需要设计，他们希望我来做这个工作。我沿用了与前面同样的思路，5张展板的图片上分别写着"TYRING""TO LOOK""GOOD""LIMITS""MY LIFE"。这样做使这句话十分醒目，而我的创意与我当时呆在香港时，香港的"拯救市容"活动有所关联。但当时，我确实认为一昧追求外表的光鲜好看有时是对发展的障碍。因此，我改变了我的策略。我和我的同事飞到了阿里桑那州。当时，我们有5张展板需要设计，而我们只有5天的时间。这就意味着我们每天要设计一张展板。但是，那时我们还没有任何想法。因此，每天一大早，也就是阿里桑那州时间7点，我们就起床开始动手设计。这可比用电脑的 PHOTOSHOP编辑有趣得多。我的祖父，他小时侯曾经接受过如何设计标志的培训。但是当他长大时，他的父亲，也就是我的曾祖父并没有允许他从事这个行业。尽管如此，设计标志仍然是他一生的兴趣所在。正因为我的祖父有这样的兴趣，在我小的时候，家里总是摆满了祖父设计的标志和他制作的手工品。

我们的中心理念就是：努力创造出纽约以前所没有的全新设计，做纽约以前没有人做过的事情，我们不能把所有的事情想成理所当然，也不能顺理成章地去接受一切。

事实上，我的一些作品，比如"不可置信""愚蠢"都是基于真实的事件来设计的。我给大家说说一件发生在我们身上的真实事件。有一次，我和我的同事坐在帝国大厦顶层的窗台上，头上戴着这样的标志，试图抓拍风景。我坐在窗台上的时候，看到楼下陆续来了很多消防队员和救援人员。我当时还在纳闷：楼下怎么会来了这么多的人，下面一定有很大的商业活动吧，要不怎么回事。当我们走下楼的时候，听到的第一句话就是警察对着对讲机说：这是一个蠢蛋，这是一个蠢蛋。我才意识到这一大群人都是冲着我们来的。我试图和警察解释，告诉他们我坐在顶层的窗台上，只是想拍点照片。他们就说：那好，让我们看看你拍的东西吧，看你是不是真的去拍照片了。和我去的那位女同事非常聪明，她告诉警察说那个相机是她的，里面存有一些她私人的东西，她绝对不能随便把这些东西给别人看。就这样我们才得以摆脱追问。

多年的平面设计经验告诉我：作为一个平面设计师，我们最大的障碍不是碰到一个不讲理、对我们作品挑三拣四的客户；而是我们自己盲目地主观臆断。自己的主观臆断会扼杀作品本身要表达的感情。也许你们注意到了：几乎我的所有作品中都没有出现客户的标志。因为我始终相信，如果我在作品中加上客户的标志，那么我就在作品本身之外添加了其他的感情因素，作品的意义就发生了改变。但是同样也有例外，如果作品、客户以及产品所要表达的感情是一致的，那么我就会加上标志。我想告诉大家：这就是平面设计，这不是艺术。这一点非常重要。可能我对平面设计与艺术这两者区别的最好解释来自于一位美国艺术家，他说：平面设计有外观、有样式，但是艺术没有。显然，客户需要从你的平面设计中得到某种效果。至今为止，我们完成了18个"THINGS I HAVE LEARNED IN MY LIFE"（我生命中学到的事情）系列的设计。我的18位客户中，有17位非常满意我们的设计，还有一位不太满意。

我的设计深受我非常喜欢的一位艺术家MARTHEN KIPBURGERB的影响。事实上，我设计的内容运用了很多他的作品。譬如这一张就用了他的画作为背景。我没有见过这幅画的原件，只是用照相机把画拍了下来。这个设计的内容是：Drugs feel great in the beginning and become a drag later on.（最开始吸毒感觉很爽，但是后来它就是你的负累）

我想讲一个故事。当我还是一个学生，在维也纳上学的时候，有一次我出门坐地铁，有一个非常非常美丽的老妇人走进了地铁。她的确已经上了年纪，大约八九十岁的样子。当时她穿了一件黑色的皮草外套，戴着一顶黑色的帽子，帽子上还插了一朵玫瑰花。当时，我有非常强烈的愿望要告诉她，她看上去有多么的漂亮，但是我没有足够的勇气。当她到站，起身走出地铁的时候，我也跟着跑了出去，虽然我本不是那一站下车。我追在她后面，喊："女士，女士，请您停一下。我想和您说，您真的非常非常漂亮。"听完我的话，她的脸一下子亮了起来。她很开心，我也很开心。我当时就下了一个决心：我以后都要像今天这么做。非常奇妙的是，在我今后每一次鼓起勇气、战胜恐惧去做事的时候，每一次我都能得到很好的效果。但是，恐惧不是自动就能被克服的，我需要鼓起勇气去战胜恐惧。这就是这个设计的由来。这分别是照片的正面和侧面，整个设计连起来就是"Having""guts""always""works""out""for""me."（勇气帮我很大的忙）。

Q&A
施德明（Stefan Sagmeister）

Q：平面设计最吸引你的地方在哪里？

A：我想如果从一个专业平面设计师的角度来看平面设计的话，专业平面设计师的工作大部分是销售和宣传，但平面设计专业本身的含义要远远大于此，它可以教育大众，宣传，集资，娱乐大众，它可以传播的东西很多，平面设计可以做的事很多。我喜欢作一项与销售和宣传没有关系的职业，其实我的家人有不少从事销售这一行，我的父母都是商店的销售员，我的兄弟开了一家零售店，所以我作销售得心应手，因为这一行有很多的机会和可能性。这就是——如果要说到平面设计的魅力的话——平面设计的力量和美丽之处在于它很开放，具有活力，它使你成长、成熟，因为你可以尝试许多事情。我曾经有一个小小的工作室，我可以按照我的兴趣工作，我想了解更多，一旦我知道了，我就会应用在我的设计上。

Q：你的设计理念是什么？

A：我心中的理想是用平面设计来打动人们的心灵。我想在一段时间里这对于工作室来说比较难以达到，但这个理想无论如何还是有帮助的。因为它使你的关注点始终集中在你真正的观众身上。像我这样的设计师，发表了很多作品，最终失去了很多。很多设计师就是这样，自己反而开始找设计师，目标不是为了真正的观众，只是为了证明外表，这是很危险的。我不想成为设计师的设计师。我想成为关注人类的设计师。

Q：在过去的十年中，你的设计是如何变化的？

A：发生了很多变化。我们过去只是涉足唱片业，我们制作了很多唱片封面和类似的产品。在进行一年的试验后，我对公司进行了改革，我们为工业、公司书籍制作封面，也做唱片封面。两年前，我不做唱片封面了，因为唱片业不景气，mp3和盗版技术的发展让唱片公司很担心他们的品牌，我已经无法享受到我曾经工作的快乐。我完全退出了唱片业，进入了科学领域。现在科学领域正在发生许多有趣的变化，急需设计师的参与，这种需求很大，设计会对此产生巨大的影响，因为现在科学家们正在把他们非常宏大而且非常重要的想法变成现实，但是他们没有专业机构，所以存在一些误解，他们没有实现这些想法的最基本的规则，所以，目前，我们的最主要的工作就是为科学家们设计一个方法指南来实现他们的想法。

Q：为科学家设计方法指南？
A：对。我们还设计了专门给消费者的科学杂志，是从另一个角度来看问题。我们设计的杂志叫SEED。 它针对更年轻的消费群体，更时尚。这样，年轻人也能对科学问题感兴趣，他们也了解科学在我们的生活中扮演的重要角色，未来更是如此。

Q：科学家也需要开拓眼界以实现他们的想法，全世界都是如此。当今时代年轻人有很多新技术媒介可以利用，他们有很多方法可以实现想法，但是设计的理念不仅仅是视觉的感受，例如，网络游戏过于强调视觉感受，导致一些痴迷的玩家不再关心日常或真实的生活，您怎么看？
A：我不能确定是否能给你全面的答案。我没有孩子，但我有11个侄子侄女，外甥和外甥女，他们都会玩游戏，但没有到痴迷的程度。我也看到一些痴迷的游戏玩家。但最近有一件事让我很惊讶。在斯洛文尼亚，我和一位设计师的妻子交谈，她也在那里做演讲，她是一个外科医生，她说她的朋友在做手术时，为了尽量缩小的伤口，医生会在体内放入摄像机，然后根据屏幕的影像用遥控手臂做手术，她说她的技术很好，是当地最好的医生，但是她却说下一代人会比她更强，因为玩游戏的缘故，他们非常擅长把三维的影像转化在二维的屏幕上。这完全是技术问题，如果玩游戏的人，或越来越多玩游戏的人当了医生，那外科医生的技术会大大提高。

Q：你提到保持年轻的秘诀就是经常学习。一个设计师该如何学习呢？
A：这个问题很好。说"经常学习"是一回事，但实际做起来是另一回事。我向来都是先做再说。而且现在的做法与两年前的做法完全不同。要扔掉传统观念，是很难做到的。我不知道自己是否已经完全抛开传统的束缚。我非常得益于自己的做法。我们这一行里，有人到了50多岁仍然做得很好。但是大多数设计师到了50多岁这个年纪，表面上看做得还可以，而实际上他们已经在重复以前的老路子了。

Q：如何才能避免走以前的老路？
A：刚创办工作室的时候，我将它看的很神圣。但后来发现这种想法很局限。因为如果一个人总是从一件事情转向另一件事情，而不去深究每一个问题，那么每一个都做不好。因为你总是跳来跳去，定不下心细细琢磨。只要是正常人，在这种懒散的状态下就不会有所成就。我从来没有见过这样的人，即使他很有创造力也不行。这就有危险了，你要么抄袭自己以前的作品，要么剽窃别的设计师的创意。所以要进一步探索新的题材，走上以前不喜欢的创意方向，让自己喜欢上它。这样就能达到一种平衡。就是通过这样一种方式，我让自己的工作室名扬全国。比如，我喜欢甲壳虫乐队，不喜欢滚石，尽管滚石也不错。

Q：经营设计工作室最困难的地方在哪里？
A：最难的莫过于，经营一家设计工作室而又设法不让其发展壮大，如果你能找到方法，其他的就简单了。因为如果一个人开办了一家设计工作室，经营的不错，又很擅长这方面，他就会有更多的工作，因此就会雇用更多的人，更多的专业设计人员就会来到，工作室就会从3个人发展到10个人，再发展到20个人。在这种情况下，他就会发现已经无法进行设计了，因为这个工作室的规模仍然很小，从商业的角度来说，这种设计工作室是很脆弱的。要想稳定地赚钱，应该投资房地产业，而不是设计产业。

Q：关于如何在设计产业中保持年轻，你对年轻人有什么建议吗？
A：我觉得年轻一代根本不需要我的建议。我记得当我处在他们这个年纪的时候，最讨厌的就是有人给我提建议。从4岁开始就这样了。

Q：你提到喜欢体验生活，很多设计师也喜欢体验生活，但是他们能获得的机会很有限，使他们不能做自己感兴趣的事情，你有什么建议吗？
A：我认为他们应该本着实用主义的态度去体验。跟我谈话的很多人都提到要体验生活，但是他们从来没有做，因为科学技术的发展日新月异，总有新的事物冒出来，就导致原来的计划被推迟。所以如果真的对体验生活感兴趣，最好制定一个时间表，设定一个时间段，比如一年，随便多长时间。

Q：你从体验生活中获益最多的是什么？
A：好书。

Q：你提到了学科的界限问题，以前艺术设计、摄影等的范围是很明显的，但是现在已经消失了。现在的设计师们需要使用电脑进行设计，但也需要像你那样在外景拍摄照片，他们应该如何做呢？
A：因为现在的技术很容易掌握，所以设计和摄影有了沟通的可能。这在15年前还是不可能的，因为你需要专门的训练才能做，非专业人员很难入行。现在发生了很大的变化。可以这么说，我们已经意识到本行业发生的变化，即使是不好的变化。当行业边界消失了，设计行业里最重要的是传播想法和创意，以期能对观众产生影响。这是有可能的。

Q：你通过什么方式接受其他专业的影响呢？
A：就我自己的情况而言，我经常旅游，阅读很多书。我不看电视，所以有很多空闲的时间。一般人每天会花几个小时看电视，但是我不看，所以就比别人多大约4个小时的时间。并不是所有的东西都能称之为设计。

Q：你有没有从杂志中寻找灵感的经历？你对杂志有什么期待？
A：杂志看待设计并不像我们这样严肃。有些人可能会在卧室中获得灵感，然后会把它写下来，放在床头桌上。杂志作者以一种非常放任的方式谈论灵感。其实他们没有真正的受到启发，只是由此产生了一些想法。在讨论会这样的背景下谈论这个话题，就是设计师通过设计杂志中展示自己的想法，而他们的任务是为自己的项目提出创意。这样看来，有些杂志就非常糟糕，包括《Wallpaper》。因为当一个人萌生创意的时候，总是习惯于接受反向的事物，受到与自己毫不相干的事物和职业的影响。只有这样才能产生有意义的联想。如果你要设计一个企业标志，而只看其他关于企业标志的设计图案，就不会有好的创意。这样做不会激发灵感，只是俗套的工作。现在有很多设计方面的杂志，我经常翻看，但只是作为消遣，比如，我在旅游时会抓一本放在行李中，在坐车时会浏览这些杂志，通过它们了解设计界的最新动态，但不会将它们视为激发灵感的手段。优秀的设计师应该广泛涉猎音乐、电影等其他艺术形式。能够受到其他专业的影响，这是非常健康的理念。

CREDITS: CATALOGUE BY SAGMEISTER INC. ART DIRECTION: STEFAN SAGMEISTER PHOTO: EVA HUECKMAN DESIGN: MATTHIAS ERNSTBERGER AND KEEP IN MIND: BO DEREK'S NEW BOOK "EVERYTHING THAT MATTERS IN LIFE I LEARNED FROM...

巴黎的新艺术精神

史蒂芬·马丁（Stéphane Martin）是巴黎Musée du Quai Branly博物馆的馆长和主任，他是这个博物馆的主要设计和建造者，该博物馆由建筑师Jean Nouvel设计及UNESCO资助兴建，主要收藏来自非洲、亚洲、大洋洲及美洲的文明发展及艺术品，主要目的在缔造一个汇聚欧洲以外的文化艺术及工艺作品场地，增加公众对文化艺术的兴趣。在他担任此职位之前，他曾担任过法国文化部长的主要助手，还于1989—1990年担任蓬皮杜艺术中心的总经理。

有一个创新的故事。有趣的是，这个创新的政治味道比较浓，所以，也许我们也应该从积极的方面来看待政治。大家可能都知道，文化政策在法国是极其重要的，比如说一切事物都由政府控制或者至少要接受政府的监督，文化政策也是如此。但是，更重要的是，事实上即使政客也要发表一些关于文化的讲话。文化生活有时也是充满了政治气味的。文化政策总是和政治如影随形。传统上，每个总统都有自己的个人文化规划。1995年总统希拉克决定他的文化计划是以音乐为中心，那时，世界范围内都在讨论音乐。他为非西方音乐的发展做出了杰出的贡献，比如在非洲、大洋洲、亚洲以及美洲音乐方面。有趣的是，他音乐规划的特点之一是在两方面同时发展，有点像象众多音乐共同繁荣的景象。一方面，从小的方面说，卢浮宫的一个房间，被称为一个音乐展厅，吸引了世界各地的游客前来参观。你们知道，卢浮宫可能是世界上最大的音乐博物馆了。就像其他的音乐博物馆一样，参观者大部分是游客。卢浮宫80%的参观者是游客，可悲的是80%的人不去参观音乐博物馆，他们只崇拜蒙娜·丽莎，事实就是这样。我想说，达芬奇会使你强化这一行为。如果你希望他们去看看别的东西，而不要在离开巴黎的时候带着意大利文化、古代艺术是人文艺术顶峰的想法，你可能就得采取一点强制措施，把西方艺术的作品放在非西方艺术的前面。这就是我的想法。

该规划的第二个特点就是选址在巴黎市中心设计建造这个博物馆。我认为，这是该工程的一个具体的组成部分。通常，在这样一个音乐高度繁荣的国度，而且巴黎又是首都，热爱音乐的人所占国民的比例是世界上最高的，当你决定借助音乐与其他文化，而不是只与自己的文化进行交流时，你应该把它放在市郊或者城市的靠近边缘的位置。总统先生正是希望国家在音乐方面有良好的发展。他在城市的可供开发的黄金地段中划出了最好的一块地来建造这个博物馆，就位于埃菲尔铁塔脚下。

所有这些经过了雅克·希拉克馆长的多次讨论。他是一个性格怪异的人，备受争议的人，同时也是一个有趣的人，令人激动的人。他是设计的收藏者，艺术商人，还是一位作家，他发挥了至关重要的作用。但是更重要的是，他是藏品的设计者，负责选择参展的藏品，对卢浮宫各个展厅里未经整理的藏品进行整理。卢浮宫内的音乐包含众多的文化，让人们欣赏到除了蒙娜丽莎之外其他的文艺巨作。这里是一些来自卢浮宫的画像，这是来自大洋区的，这是非洲区的，它们贴上了标签，挂在不同的墙上，放在不同的房间。在某些情况下。如果你想成为卢浮宫参观者，你应该去看希腊文化，在这个海报上有一些关于希腊文化的作品。你还可能会看到其他的，比如说墨西哥文化的作品。这体现了卢浮宫的开放。政府给我们划出了一块伟大的土地。奇怪的是，我不知道什么原因，这块土地从来没有在巴黎得到很好的开发。你们看到的这幅图片是从埃菲尔铁塔顶部拍摄的，所以你们看到这块土地就在埃菲尔铁塔脚下。在20世纪的时候它曾经被用作多种用途，比如筹办国际性的盛会或者举办短期的展览等，但是它从未得到完全的开发利用。

这个人是一个建筑师，他有非凡的能力。共有50多名建筑师参与角逐，都是大名鼎鼎，比如福斯特，你知道，每个人都是声名远播。这个人脱颖而出，赢得了最后的胜利。这是这项工程的模型，就在几天前馆长宣布了这个决定。有趣的是，凡是熟悉建筑的人都知道，通常情况下，依照模型建造出来的建筑的最后样子和模型是完全不同的，复杂的建筑尤其如此。在这里，你们看到了工程的微观模型，过些日子，你们会看到真正的建筑，你会发现它们非常的接近。同样有趣的是，在这块伟大的土地上，有塞纳河缓缓流过，旁边是一座清洁的广场。但是有两个问题。第一个问题是关于这条河流的，正如你们所知，河水在过去经常会涨潮。在建造这个博物馆的初期，我们就遇到了这个大问题。很多人担心，河水涨潮会给博物馆带来一定的风险。因此，我们需要做一些技术性的保护工程，通常要一年半才能建好。第二点，虽然这块土地从未得到完全的开发，但是有一些人在这块土地周围建了一些房子，因此大楼的背面已经存在了。所以我们需要做些工作，至少是建筑师，要对此做些工作。我们的设想是在这块土地上建起一座大花园，周围用很高的玻璃墙围起来。在花园里建起四座各自独立的大楼，你后来会看到他们具有各自不同的特点。由于技术上的原因，建造需要很长的时间。我惊奇地发现在本世纪里建造房子所需的时间与上个世纪相比是越来越长了。对于我们来说，一切始于1995年，从概念上来讲的，1999年选出了担纲的建筑师，2001年底工程开始动工，这是一个巨大的成功。我们招募了200,000人来共同建这座伟大的大楼，看上去面积很大，其实没有，一次同时只能容纳2000人。

这些花园四周的玻璃墙可以防噪音，因为外面很吵。在外面，你们看这四座大楼的第一座，它的特点是大楼的表面很粗糙，被植物所覆盖，是由法国工程设计师设计的，他创造了这个系统，使植物能长到墙外面。这个博物馆不是一次就可以参观完的，就像后因特网时代的博物馆一样，需要你去过多次后，综合你的经验感受得出一个全面的印象。几年前，这类博物馆是非常具有教育性的，你去参观博物馆，会听到一场演讲或报告，你对听到的有关博物馆的讲解或者信息本来可能完全陌生。有趣的是，我认为，现在的情形完全不同了。主要通过流行文化，通过电视，当然，通过年轻人对非西方艺术的兴趣，通过波普文化。两周前，我们举行了一场电视节目比赛，一个摄影组来到北京，把我们完全打败了。但是在此之前，他们参观了这个博物馆，挑选赠送法国政府的礼物，最后他们选择了这个地方。博物馆里人满为患，观众大部分是30岁左右的人，馆里同时接待了5000多参观者，分布在花园，所有的地方。为什么？因为一般的西方年轻人喜欢大洋文化，喜欢各种流行文化，它们是西方社会目前流行的，可见的东西。这是我们在开馆不到6个月的时间里对参观者所作的第一次调查。参观者的数量比我们预想的增加了一倍，有一半是新人，他们说以前从未去过或者通常不去其他的博物馆，一些年轻人，还有一些经常参观博物馆的热心游客。

这就是我们的展馆，开馆6个月了，在公众中获得了巨大的成功。但是，我认为，这并不代表什么。这只是前6个月，好奇驱使很多观众前来参观这些大楼，这些作品。这些作品已经几十年没有在巴黎出现过了。我们的目的是使这个地方成为巴黎最重要的文化地点之一，成为巴黎5个或10个文化空间或文化机构之一，它们给了巴黎一种精神。如果你们稍微想一想，世界上没有一个主要的文化机构，不去涉及当地事件，当地艺术和国家艺术。这正是我们尝试要做的事，我们努力建造一个音乐、演出中心，关于西方艺术的，去设一个机构，它并不直接和西方文化相联系，使其成为首都文化机构的主要部分。

Q&A
史蒂芬·马丁（Stéphane Martin）

Q：你觉得博物馆承担着怎样的社会责任？

A：我认为，今天的博物馆起到了一种媒介的作用，这使它们成为了真正意义上的社会工具。博物馆在研究和科技方面的工作所影响的人群很广，不再局限在历史学家和艺术爱好者这个有限的圈子里。博物馆真正成了一种公共设施，和医院、图书馆、学校一样对社会起着至关重要的作用。现在，不论专长于什么领域，都很少有博物馆能垄断该领域的所有信息。游客从电视上、电影中及其他全球通俗文化形式中得到了大量不成系统的图像和信息，他们在博物馆中想要的不再是过去校长授课般权威性的专家讲座，而是希望博物馆能帮助他们对已获得的信息进行分类、等级划分以及格式化。

Q：博物馆一个最重要的责任就是教育民众，那怎样才能吸引尽可能多的人来参观呢？博物馆还要满足不同的需要，那么怎样来满足不同层次人群的需要呢？

A：当今博物馆面向的是网络时代的公众。他们这代人处理百科全书般浩瀚资源的方式要比上一代人自如得多，他们已经习惯自己来选择所需要信息的量和级别。博物馆必须适应他们这种新的方式。例如，博物馆可以提供面向不同"层次"人群的馆藏展览，增加各种研讨会，根据参观游客的年龄以及期望来举办各种会议，还可以提出一种灵活的短期展览政策，毫不犹豫地对馆藏展品来提出质疑。

Q：巴黎凯布朗利博物馆引入了许多欧洲以外的异国文化展品，那么对于本土文化来说文化交流的价值是什么呢？

A：很长时间以来，人们都觉得欧洲人只把自己的文化当作主流文化。然而，在这样一个全球融为一体的时代，一个人是不可能把他/她自己只局限于一种文化传统中的。而更加无可非议的是在各种文化中，正是通俗文化（年轻一代的娱乐和思维方式来源于此），其中的观念交流得最快。因此照这样来说，凯布朗利博物馆同时还是一座学校，它倾听和尊重其他文化，它是21世纪社会的一个生活说明书。

Q：对游客来说，一个展览的价值评判标准是什么？

A：在我看来，游客能在展览中找到所需要的东西，对他/她自己以前在家里或学校中获取的文化教育、品位和习俗加深理解、加以补充并且缓和它们之间的矛盾，来获取一种合适的理解，这样的展览就是成功的展览。一个好展览就像一顿美味佳肴一样，不应该过度满足游客的求知欲望，而是应该激发他们追求更多的知识。

Q：参观博物馆的主要人群是外地旅游人士，对他们来说，一个博物馆他们通常只会去一次。那么怎样来保证博物馆有较多的游客呢？

A：正相反，我认为现代博物馆不仅仅是旅游观光人士才会去参观的。我觉得，博物馆获取成功和生命力的一个最可靠的指标就是本地游客数量，尤其是那些会再次参观的游客。为了达到这点，有必要经常更新展出项目，因此要增加短期展览的数量（并不需要把短期展览与馆藏项目的领域和主题紧密相连），还可以引入除了工艺品以外其他形式的艺术展览：音乐、电影、舞蹈、通俗艺术等等。

Q：将来博物馆会给游客提供什么样的服务呢？

A：30年前，博物馆的前景显得十分黯淡，很少人预测在21世纪博物馆会生机盎然。然而今天，博物馆在现代社会主要设施中占据着主要地位——博物馆让公众感到国家的威望和民族的光荣，公众强烈地需要这样的设施。我认为，博物馆的将来在于一个城市或地区的居民对它方向的把握以及日常的利用。博物馆真正成了公共设施，那里是城市中各代人和各种层次人交流知识的地方。博物馆与体育场和图书馆一样，对一个人的健康幸福和自我修养是至关重要的。

香港湿地公园

这座公园不是公园也不是博物馆。除了根植中国人心中的天人合一以外，和资源保护、教育、展览、环境行为、生态旅游、非常重要的家庭娱乐相关。

香港湿地公园的游人中心顶部有个穹顶，后面是个公共道路，从这条路上，你可以看到这个入口，这是游人中心和外部的卫星建筑以及这里的人造的陵墓。字典里的解释是博物馆是一个收藏文化、历史以及科技展品的建筑，并为大众展示。我们想向大众展示公园是怎样的和究竟什么对人类最重要。如果要用三个词语描述这个公园的目的，那就是生态旅游；第二是教育，因为我们想向大家传达我们的意思；第三就是资源保护，因为香港正在经历巨大的变化，变化之大足以威胁我们的自然环境。我们应该保护我们能够保护的。

湿地公园在哪里？它位于香港的西北部，毗邻边境，和深圳隔海相望。这个位置为什么重要呢？因为它是沼泽地，是世界上最重要的沼泽地区。北极地区的许多鸟都来此停留、休整，然后到南方去。湿地公园和沼泽地毗邻。你可以从地图上看到，香港……虽然大家都说香港是个高度发展的城市，非常拥挤，但也仅限于市中心，这些紫色地带，但这些灰色地带没有绿化，发展落后，不向大众开放。但湿地公园是向大众开放的。它与火车站，高级居民区相邻。整个面积达61公顷，是除了4倍

邓文彬（Stephen Tang）是香港特别行政区政府建筑署总建筑师，是香港城市设计联盟会议的召集人之一，积极推广本地城市设计。香港湿地公园是一个促进生态保护、观光旅游、教育及娱乐兼备的"湿地博物馆"，也是一个与大自然融合和环境保护、持续发展的典范。

的维多利亚公园外，现在是香港最大的公园。你简直看不出这里的楼，事实上它融入到了周围的景色里了。修建一栋楼，一座博物馆，对我们来说意味着很多的机会。我们在建筑赋予了意义，展现这栋建筑的意义，我们通过这栋建筑，展览要向公众展示什么。我们通过这栋建筑表示了绿色环保的概念，表达人类如何利用自然，并且和自然共同合作，和谐相处。

第一是节能。除了楼前的绿地外，我们还安装了供热系统。好的供热系统可以安置在屋顶，我们还使用新的空调系统，这在香港是前所未有的，虽然在中国大陆和美国等地已经大量地使用了，这被称作地温冷却系统。把热量通过我们的空调系统传送到地下和空气隔缘。第三是利用自然光和天然通风来减少能源的消耗。事实上，除了能够节约能源外，我们不用空调会更舒服，如果条件允许的话。我们用现有的旧的建筑材料，现有的砖来修建新建筑，我们用可回收的材料，我们用可以再生的木材，在卫生间，我们用节水系统冲水，用雨水冲刷马桶。美化装饰我们用国内的公司，因为这样节约水利资源。从这张照片里，我们可以看到当你进入这栋大楼，游人中心的时候，你或者可以从大门进入，也可以漫步小径，当你走到尽头的时候，你会发现面前是一座巨大的陵墓，令人意想不到。河岸都非常高，非常恐怖。但从另一角度看，河岸又像是天堂。这是另一面，这里有水，你可以在这里野餐，是免费的，和售

票处没关系。我向你们提过，我们应用了空调设备，我们没有像每个城市的大楼一样，用吹风机把热气从室内送至室外，我们用管道系统。建筑工人拿的是水管，放入地下50米深处。大概用了460根管子将热气送至地下，地下30米的水温是恒定的，所以热气送至地下后，就会在地下分解，热气对土地没有影响。这就是热气岛的概念。香港的很多地方都是这种热气岛。每个大城市都面临着这样效应，通过这种方式，我们可以避免热气岛效应，这栋建筑的温度也得到了冷却。我们的环境也变得更好。管道将热气通往地下，不是各处都可以采用这种办法，只有这里才行得通，因为这里有很大空地。在城市里，我们不能用这种方法，所以我们利用了这个特定地点的特点，并利用各种机会使用天然采光，以便使你不会受炎热之苦，不用使用过多的能源。我们的窗户是朝北的，所以房间不会受到像这样太阳光的直射，我们的环境非常舒适，利用到了天然的光线。在卫生间，我们也尽量用天然采光，尤其是这一部分，我们是在白天使用的。大部分时间，我们不用开灯，我们用自然光，自然光不仅提供采光，还能起到杀菌的作用。人们也感到十分舒适。你会发现这些卫生间非常干净，它不会让你忍受通常公共卫生间之苦。对于发现中心，这些卫星楼，我们应用了自然光和自然通风。观鸟屋也是如此，它远离市区，没有供电，天气不好的时候，我们运来电。现在我们利用了这栋楼，而不是把它拆毁。我们把它作为目前的售票室。我们还利用了周围村庄坍塌建筑的砖块。这些村庄的建筑质量非常好。我们利用了从附近警察局拆卸下来的材料。我们收集了牡蛎壳，这些壳是附近人们吃剩下的，我们把牡蛎壳制成小饰品，为的是提醒大家我们和身边的水域有着很密切的关系。在建设过程中，我们使用了许多可回收的材料用于装饰等等。至于木材，我们使用的是可持续的木材。这些木材很容易生长，而且，在展览中，我们聘请了顾问为我们工作。这些图片源自一本书。如果只是看，你只能记住10%，如果你是听，你能记住50%，但如果你亲身经历的话，那你能记住85%。这是热带潮湿地带，你会很热，这里的温度要高几度。这里的湿度也比较高。你还会看到周围的事物。

一些数据和事实。我们谈到生态旅游，教育和资源保护，对于生态旅游，我们必须超越原有的目标，我们的目标本来是每年500,000游客，但是自5月开放以来，我们已经接待了750,000人次，每天原计划接待3,500人次，现在每天接待近20,000人次。所以我们星期天也开放。在教育方面，我们有许多教育项目，包括训练老师，有很多志愿者，超过了2000人，他们自愿在公园内进行导游服务。当你们看到这些志愿者的时候，你们会想到这一点。在资源保护方面，自公园开放以来，我们不断地改善了公园的环境，你可以看到这些数据。这里有很多的鸟、蝴蝶，这些表明公园的生态环境在改变。我们听过当地还有海外的在绿色建筑板块见到了关于公园在建筑和建筑技术方面的报道。在建筑中，建筑师尽量创造出安静的环境，但是星期天的时候，游客的声音可能会打扰到你。这些建筑的中心含义是人类、自然和建筑联合在一起，和谐相处。就像我刚才说的只有经历了，你得到的才是你自己的，爬上顶层，吹吹口哨吧。

Q&A
邓文彬（Stephen Tang）

Q：作为一个主题性博物馆"湿地公园"的设计理念是什么？

A：我的设计主要要体现三个特点：生态、教育和环保。设计时要考虑如何同时实现这三个功能，来体现建筑的深层意义。旅游者到这里来主要是玩乐，但在这个过程中，我们要让他们明白自然环境的重要性。我们保护湿地，是因为湿地是自然环境中一个重要的组成部分，里面有许多生物，生态处于平衡稳定之中。在这个建筑设计中，我们试图挖掘自然的含义，强调生态稳定的重要性。在建筑中，我们把各种生物要素结合起来，像鸟类、虾、蟹、青蛙、蝴蝶、蜻蜓等等，当然还要把人结合起来，从而来实现平衡。我们当然要利用自然，但同时要注意与自然和谐。此外，我们还利用别处不要的废弃材料，从而告诉人们，利用完了材料后，不一定要扔掉，而是还可以在回收利用的。比如我们就利用了许多废弃的混凝土材料，把它们加热，然后用于这个建筑的底楼地面，我们从这些废弃的混凝土材料中回收了许多石子，而不用去山上开采，这样就不会破坏山陵了，同时也减少了浪费。

Q：博物馆的关键是要吸引人们，使他们得到教育？那么在你们宣传的时候，你们是如何向公众解释这些要素的？

A：我们确实作了许多教育工作。我们有许多志愿者，担任讲解员。他们主要负责讲解湿地的情况，而不仅仅是抽象的概念。我们还有许多专业的工具，来帮助公众了解湿地。我们有时自己也出来讲解，告诉大家这些工具如何使用。但更重要的是，公众在这里感到很舒适。他们会看到自然的阳光，看到没有空调却依旧那么凉爽。这样他们就会感到这样的生态建筑是可能的，这就潜移默化地达到了教育目的。

Q：一个建筑设计与周围环境的关系应该是什么样的？

A：建筑应该和所在的地方的特色融合在一起，和当地的地理、文化联系在一起，使用当地的材料。我们在建造湿地公园的时候，就使用了许多当地的材料，许多都来自东莞、深圳。这不仅是因为这些材料比较便宜，可以节约运输费，而且还节约能源，从而为全球环境作出贡献。我们的建筑对环境是友好的，从建筑概念到建筑材料都是对环境友好的。我们是在保护环境，所以要建造公园。如果我们在建造过程中，不对环境友好，那么将是自相矛盾的。我们使用的木材都是可再生的。这就是说，我们使用了木材后，在原来木材生长的地方，树木会很快成长起来。

Q：包括湿地公园在内的各种建筑对于当地的社会有什么样的责任？
A：湿地公园属于公共建筑。公共建筑除了要完成其作为建筑的职能外，还要完成其"公共"的职能，是当地的一部分。因为有许多人会去这些地方。这些建筑已经成为公共空间的一部分，成了当地的代表或是地标。所以这些建筑的表达就显得非常重要，它们是如何表达自己的，是如何满足公众需求的，是如何符合大家对它的预期的。公共建筑一定要符合可持续建筑的思想，要注重环保、人与自然的和谐，要减少它对环境的不利影响。所以在设计湿地公园时，我们非常注重节约能源。

Q：你怎么看中国建筑设计的未来？
A：我的看法不是非常乐观。因为现在缺少对真正意义上的建筑设计的尊重。但我想，作为一个建筑设计师，尤其是作为公共建筑设计师，我们有责任来教导公众和行业。首先，就是要尊重环境，提倡可持续的建筑设计。这就是说，我们现在作的不能损害我们后代的利益，不能让我们的后代承受我们行为的代价。我们不能建造消耗太多能源的建筑。第二点，我希望所有的建筑，无论是公共建筑还是私人建筑，都应该有更多的意义，都要能在精神上启迪人们，而不是仅仅遮风蔽雨。好的建筑应该引导人们思考更多的问题，而不光是建筑本身。第三点，我要指出，城市设计至关重要。一个一个的建筑构成了建筑丛，构成了城市，改变了城市的面貌、地形，成为城市的地标。因此建筑如何结合在一起是非常重要的。

设计的有效奢侈

我们的创新战略对创新以及设计来说是很有效的，在奢侈品商业中十分行之有效。对别人来说，比较有趣的理解角度是，奢侈品并非跟着技术赛跑。很明显，直率的说，我们都不再需要戴手表了。我们的手机、笔记本电脑、车上到处都有时间显示，所以在奢侈品中我们试图通过不同的款式来创造产品、创造价值，并且来创造情感。

最有趣的是自从Heuer品牌在1860年创建以来，一直到80年代，唯一获得竞争优势的办法就是用途、产品——产品喜好产生品牌喜好。当1887年Heuer创造出了振动齿轮，便决定了这个品牌的竞争优势。很好笑，在上个世纪初，有一次奥林匹克比赛，两名运动员到达终点线的时间相差不到五分之一秒，谁也说不出他们俩谁是第一名。就是出于这种需求，Heuer在1916年生产出了第一块可以分辨出百分之一秒的表，Micrograph，他们可能这样叫它，是一块大的计时表。这给了Heuer巨大的竞争优势。1924年，Heuer是奥运会的官方计时品牌，因为它的手表最精确。因此产品的优势带来了品牌竞争优势。在1966年，Heuer推出了第一款千分之一秒的Micrograph，你可能看见这个奇怪的机器，不太好看，但很有作用。

汤马斯·侯隆（Thomas Houlon）是屡获殊荣的时尚眼镜设计师，现为瑞士TAG Heuer钟表的创意品牌经理。1999年至2002年负责其运动视野系列，成功将其设计概念实践并将产品推向市场，大获成功。他于1995年在巴黎开展时尚眼镜品牌经理事业，专责为Chanel、Givenchy及Elite时装模特设计太阳眼镜及相关产品。

之后在70年代，整个制表业垮掉了，原因是石英表的出现。石英表更加精确，更加便宜，制表业有三分之二干脆消失了。这个瑞士品牌如此成

功是通过营销和设计款式做到的。TAG Heuer如此成功，有形象大使的功劳，也有一些像link series之类的款式的功劳，这种款式在今天也还是一个主要的款式，这种款式的表卖出了上亿块。同时广告也起了很大作用，你可以看看那儿的图片，"成功是大脑的游戏"，"不要在压力下屈服"这种语言很有力。2000年，最古老的手表品牌的制造商们都是产品做的好，营销做的好，款式设计的好，那我们怎么独树一帜呢？这就是需要我们思考的时候了。我们需要再次回到产品创新上来。我们应该尊重我们的个性。

奢侈品的创新。当我们面对新形状、新款式、新的技术、还有新的功能时，我们必须经过两层过滤。首先，我们不应该做小器械，我们做作产品必须有正当理由。我给你们一个例子。我们有个形象大使Tiger Woods，他是高尔夫冠军。当记者问他对其他高尔夫球手有什么建议，他说挥球杆前首先你要摘下你的手表。我们有了问题。所以我们需要制作高尔夫表，职业高尔夫表。所以我们想高尔夫表可能作为高尔夫计分器，我是说，你打高尔夫时可以看自己的分数，可是事实上，当运动员在场上打高尔夫时，他需要填写计分卡片，所以如果高尔夫球手打球，然后填写计分卡片，然后在表上输入自己的分数，这表根本就是给傻子用的小玩意。这没有任何意义，这还不如制作一种真正的高尔夫产品，球手们可以佩戴的，这更合理。所以我们不做小器械。

第二是我们不做会过时的奢侈品。这很重要。我举一个例子。我们设计了一款表，数字显示的。当我们寻找伙伴做数字显示表时，是要寻找最棒的。我们在全世界范围内调查，然后很多人来找我们，他们设计出来的是点积彩色显示什么的。6个月内，这种表就会过时。所以我们宁可用70年代的技术，差别很明显，不过它至少不会过时，你可以确定10年后这种款式还是一种代表。所以在奢侈品行业的创新并不是要在电子领域或创新领域内赛跑，而是为了创造神话般的产品。我再说一遍，你们其实并不需要手表，而我们要卖的是很贵的手表，所以在设计行业你需要用另一种思维。

当5年前我加入TAG Heuer 来建立这个创新部门时，这好像昨天别人告诉我的一样，当一家公司经营状况很好时，你根本不需要创新。所以他们跟我说，好，不过什么也不要动，因为公司的经营状况相当好。所以我们需要建立一些其他需要创新的领域来表现创新性。基本上我们的灵感来自于汽车行业，他们在概念车上表现出很大的创新性，所以我们想干吗不做概念表,只是来测试一下新的款式。

所以我们有4个创新领域。第一个是完全自由创新。我们连样本都不做，这只是思想上的。我们有一些项目是举行设计院校间的比赛。第二个我们叫做概念手表，就像概念车。我们做出样本，来测试方案。概念最有趣的是它们给我们的品牌一种愿景。我觉得Audi提高定位成功的原因是整个Audi公司都对自己的品牌有着一种愿景。这一切都来源于概念车。10年后我们的品牌可能就是手表业的Audi。所以我跟你们说我们肯定会这样做的。第三个领域我们称为特殊件。那样的话，我们会更加自信一点。我们做一些小的系列，像是生产2000块表。只是为了测试一下新方案在市场上的反应。我会跟你们介绍专业的项目。希望所有那些领域都会互相扶持，然后最终进入到我们的核心业务中。第四个领域是取材创新。

用学生来搞设计可以花较少的钱，可是这并不是举办这样的竞赛的目的，而是因为学生们并不是成功的设计师，他们可以带来新的方案，他们冒失勇敢，他们对我说过，你太保守了，你应该做数字工作，这会更有趣，因为今天年轻人根本都不带手表了。所以问他们你们的梦想是什么，这是很有趣的。所以我们与许多设计院校合作过，有我们国家的，有法国的，还有伦敦的。

有一款概念表的创新性以及款式上都很有趣。我们会想，在机械机芯领域中，我们怎样才能成为客户青睐的品牌呢？如果你看看制表业，你会发现这很惊人，所有的创新方案都是在很久之前就被提出的。看看Berigeti，这太惊人了，他的作品有Tobiyong，Micrograph，Bebetry calenda，可是很久以前，Tobiyong就是Bezelfair和Susan in the April的巨星了，而它是在1795年就被设计出来了，它现在仍然是领先的机械表。

我不知道为什么运动品牌过去不制作高尔夫表，不过很显然与Tiger Woods一起合作来直接开发这种新的产品是很愉快的。你会发现在创新过程中，我们的工作非常单纯，非常简单，非常实用，我们就是解决各种各样的问题。我们做了很少的样本，我们发现表扣会弄疼手腕，好，咱们把表扣直接放在表头下面，当你弯曲手腕时，表冠也会弄疼手腕，所以我们把表冠放在了9点位置，这不是很大的创新，是吧，只是移动一下位置，不过这对高尔夫球手很有帮助。还有一个问题是重量，重量确实是个问题，我们挑选一些材料，让高尔夫球手们试试，然后可以告诉我们，手表的最大临界重量是多少，也就是他们什么时候开始感觉到了手表，对于那两个瑞士的高尔夫教练是75克，对Tiger Woods来说是63克，最终，我们把重量下降到了45克，以防Tiger Woods不同意55克的表。我们开展了全面的材料研究项目，来做出尽可能轻的手表。我记

得有段时间我想在表里装入氦气，想要一个毫无重量的表，试想一下，表如果掉了，它就会噗的飞走了。不过我们没有足够的空间，所以我们把这种想法给了Nike，让他们把氦气放入他们牌子的气垫中。这都是相关的。

嗯，重量确实是很大的一个问题。讲个例子。我们那时要寻找一种可以防震的材料，这是这种表很重要的问题，所以我们想把机芯放入橡胶中，用来防震保护机芯，这是一个小型橡胶球，问题是，恩，这是底部。它有弹性，可以震动。这儿的橡胶球可以很好地防震。当我把这些样品给Tiger Woods拿去时，他惊叹，太棒了，真是太好了。一分钟后，他告诉我，你发现了吗，这个比那个重。它们是相同的模子，材料密度也相同，所以我有些怀疑。然后他不高兴了，他说这个比这个要重出十分之二，所以我给测重员打电话，让他测量一下厨房中橡胶球的重量，有21克的差别，我们坐在瑞士TAG Heuer的图书馆中，所有仪器都显示两个有21克的差别。他感觉到了，所以当我们在谈论产品重量时，这是很重要的。（有些吓人，呵呵）

另一个创造性的想法是这个，可调表带，这样你就可以把手表戴得更靠上点，可以调整表带直径来符合手腕的直径，这是很有意思的一种想法。这款表的商业成功表明有好的设计会带来很大的成功，很显然，如果有Tiger Woods支持效果会更大。不过惊人的是这是唯一一块我们没有做任何广告的表，我们没有做任何宣传，它最终也获得了很大的成功。

我们的方法中很有趣的是，我们的组织是扁平式的，我们与总裁关系很密切，所以我们可以提出很多新的想法。

Q&A

汤马斯·侯隆（Thomas Houlon）

Q：优秀设计的标准并不是价格和设计奖项，你认为什么样的设计可以称得上是优秀的设计？

A：优秀的设计产品就是能拥有众多的顾客，并能取悦他们。引起人们的关注和讨论，比如泰戈·伍兹代言的TAG Heuuer 的高尔夫手表，就引起了很多人的关注，在互联网上相互谈论它的设计细节。对我来说，这就证明它是件优秀的设计。

Q：一个品牌应该是如何准确地定位顾客群的呢？

A：我们应该关注不同的人群，深入分析各个市场的偏好。这种分析是很细致的。我们会生产最好的产品，也有新的设计概念。产品发布后也许不成功，但是会让人们对品牌产生新认识。仔细倾听市场的需求，还有自己的灵魂、想法和愿望，因为只有你跳出市场之外来思考，你才能创造出新价值。

Q：在一个拥有众多部门的公司里，谁来负责部门间的沟通与协调？设计部门与其他部门是怎样进行沟通的呢？

A：实际上，产品部门负责跟踪一个项目的整个流程，从概念设计到原形，然后到工业化生产，再到整个销售战略。我们负责情况介绍，跟踪整个产品流程。基本上，公司会有四名品牌经理，他们各自负责一个领域的后续工作。实际上，产品部门和设计部门占据着中心位置，决定着品牌的关键因素。如果想要有效地合作，我们就要保持与总裁的频繁沟通，这又取决于决策的速度。要维持队伍的进取心，你就必须要对决策有高度的责任心。创新过程不是线性的。你必须不断试验，因此有时几个月也不与管理层交流，因为我们没有寻找到解决方案和好的想法。其他部门的进展非常迅速，因为管理层会介入其中。公司首席执行官很关注产品进展情况，整个公司的运作过程很连贯，不是每个部门单干，而是集中规划的，效率极高。

Q：你们的市场定位一直集中在某一个群体，你们是否考虑过发展更多不同定位产品，以便扩大顾客群。

A：实际上我们的产品一直定位在显贵人群，我们会调高定位，而不是调低。现在，如果想确保我们在瑞士的生产和发展，就需要创造出新价值，通过提高品质和进行新奇的设计来实现。因此，我们不会走向低端市场，品牌得到了巨大的发展，产品需求远远超过我们的生产能力。我们会不断提高品牌形象和产品质量，提出新的设计。我认为这是最可靠的方法，以保持高度创新、产品的高端定位和设计的独创性。而不是选择走向大众化。

Q：对于年轻的设计人员你有什么建议？他们在进入设计业之前应该具备哪些能力？

A：我认为有很多年轻人都很有天赋，而对于设计人员来说，他们的困难是如何表达和推销自己的设计概念。解决的方法就是设计人员应该具备表达自己的概念的能力。设计机械驱动的腕表并没有什么意义，但放在大环境中就不一样了。你一定记得阿尔伯特·爱因斯坦的话，如果你平时什么险都不冒，那么你到时候就不得不冒更大的险。这就是展示创新和设计的方法之一。我认为这是青年设计人员必须具备的关键能力，在设计能力方面他们一般都是训练有素的，缺少的就是同他人就设计潮流进行交流的能力。

中国的新设计机遇

2008奥运会给中国设计师带来了设计方面的挑战以及机会。首先，奥运会是一次欢庆的盛会。2001年7月13日在莫斯科，国际奥组委宣布2008年奥运会将在北京举办。中国13亿人口的梦想终于实现了。申奥成功使中国人民格外兴奋，不仅北京城的人民如此，全中国的人民也都是如此。

与上届奥运会一样，2008奥运会对中国来说是一次很好的机会。奥运会使举办国、举办城市为全世界所瞩目。北京也将如此，2008年，北京将被全世界聚焦、关注，因此2008奥运会对北京对中国都可以把握住它在世界上展示自己新的形象。同时对设计师来说，也是一次大好展示才华的机会。中国有1000多所设计院校，30多万名设计师正在中国工作。设计行业在中国还是一个新兴产业、新型职业。

奥运会还是一种承诺。中国将通过这个承诺来向世界展示自己新的形象。这是一个建立品牌的过程，是中国应该把友谊、和谐与进步融入自己的形象中，而这样一种形象在过去是没有被世界人看到的。奥运会还是一次很大的挑战，对所有设计师的挑战。我们怎样才能创造一种形象，把奥运精神与中国价值观结合起来，把传统风格与现代风格融合在一起，创造一种在色彩形式上都是中国所特有的形象，可以感动人们心灵触动人们思想的形象，更重要的是创造一种可以震撼运动员和观众的形象。

王敏教授现在任中国中央美术学院设计学院的院长，他曾是Square Two Design设计总监，客户包括Adobe、IBM、Intel、斯坦福大学等。现担任2008北京奥运会奥组委形象外观主任，参与包括标识系统、奖牌、服装等整体形象设计工作。

正如我们都知道的，来设计一次盛会的形象以及个性，尤其是像奥运会这种最复杂最大型的项目，我们应该首先有一种愿景，一种声音，一种风貌。那么北京2008奥运会的愿景是什么呢，它在那句口号中有所体现，"同一个世界，同一个梦想"。这句口号充分反映出奥运精神的精髓以及普遍价值，团结、友谊、激情，以及梦想。源自奥运理想的口号"同一个世界，同一个梦想"，表达出了全世界人民的寻求美好未来的共同愿望。

不论在过去、现在还是直到2008年的设计过程中，我们的队伍，学生、教师队伍和专业设计师都会一直思考我们所面对的挑战和问题。我们总会问自己那些我上面谈到的问题。我们怎样才能把奥运精神与中国价值观结合起来？怎样把传统风格与现代风格融合在一起？怎样创造一种在色彩形式上都是中国所特有的形象？怎样才能使我们创造的形象感动人们的心灵触动人们的思想？怎样才能使2008奥运会震撼运动员们以及观众们？

设计是一种过程，一种每时每刻都在选择、做出理智决定的过程。2008奥运会给了我们这样的挑战与机会。我希望我在这所展示的作品能够表现出我们对于挑战的积极态度。我们愿意迎接这样的挑战，把中国把北京推向世界，同时也把世界带进中国。

Q&A
王敏

Q：中央美术学院从体制上算比较开放的，与外界的合作也逐渐增多，这种举措出于怎样的考虑并带来了怎样的变化？

A：一方面，从教学的角度和办学的角度，这种合作可以加大对外交流的宽度和广度，对学校的学术建设和学科建设都起到了积极的推动作用。这种合作对中央美院的发展来说是很重要的。从办学的角度，合作活跃了学校的气氛，包括学术气氛在内。就当下中国设计发展的需求来说，合作也是必要的。中国的设计到了一个程度，这时候需要在一个国际平台上，跟国外设计师和设计团体进行双向互动。这中间有一个重要的方面是将中国的设计师推向国际。其实，我们已经拥有了可以走向国际条件的一批潜力设计师，而下一步就是将他们推介出去。所以，我们今年举办了很多活动，其中跟英国V&A举办的"设计在中国"的研讨会目的之一就是向欧洲推介中国的优秀设计。

Q：那么如何推介中国设计师呢？其意义对目前的中国来说主要体现在哪里？

A：西方人以往对中国的印象，包括他们想接受的和已经接受的都是被歪曲了的中国形象，而不是当代中国的崭新形象。设计界也同样，我们需要一些活动把中国当代的新形象推介出去。现在AIG在中国设立办事处，就在中央美院。我跟他们的执行总监达成了共识，不仅把美国的设计师引入到中国，而且还要把中国优秀的、有意思的和具有影响力的设计介绍到美国去。还有"伊克格拉达"也是同样的目的，就像奥运会在北京举办一样，我希望有更多源自中国的设计可以摘取国际桂冠。我们要办一些有影响力的展览，让国际设计界重新认识中国设计。

Q：在设计教育的过程中，老师怎样去引导学生去认识设计和产业之间的关系？

A：我们已经在通过一些具体的努力去加强教育和产业之间的联系。比如我们举办的国际汽车设计研讨会就是想让产业界可以了解学校的课程和学生的努力，同时让教育这一端可以更好聆听来自第一线的声音，帮助他们加深专业上的理解和认知。这个对学校来说非常重要，尤其是工业设计专业，得到企业的支持和配合是很有必要的。因为产品设计除了一些实验性的概念以外，大多数都是要投入实际生产和流通中的，加强在实践环节的合作显得迫切而重要。

Q：现在中国很多学校都在进行相关的教育改革，你们的改革尝试主要体现在哪里，有什么明显的成效吗？

A：我们不断在调整教学的方向，并试图去做改革尝试。我们的大方向很清楚，中央美术学院认识到了自己在艺术上的优势，并希望能够在设计教育中侧重培养学生的艺术素养。

Q：你们希望今后能培养出什么样的人才？

A：我们希望今后能够培养出一些具有前瞻性思维能力的人才，他们相对更注重试验性，更注重批判性和具有创造性的思维。当然，我们也同样要求学生加强逻辑思维能力的培养。最终，我们希望为社会带来一些有思想的和开阔的优秀人才，而不仅仅是培养出一名设计师。

典型的香港风格

邓达智（Wiliam Tang）从小在家里接受的都是极传统的中式教育，到他16岁的时候就离开了香港，只身前往英伦，接受西方文化的熏陶，因此他最大的爱好就是周游列国，这在他的作品礼貌也得到了充分的体现，他的设计充满了丰富多变的民族色彩和文化，极具创意。

我自认为我自己的定位是一个很典型的香港设计师，因为大多数的香港设计师都是在国外受的训练之后，回到香港做设计的。我也是从英国学的设计，一个偶然的机会，回到香港，认识了一个本地很大的制衣公司，开始了合作。从一开始我们就决心要做具有香港特色的设计，在那个年代，日本的时装很盛行，他们所采取的也是结合亚洲各国的精髓和西方的工艺技术，最后出来的是很独特的一种东西。

日本的设计师一直都是以很独有的风格在国际上出现，很大原因是因为他们很好地融合了亚洲各国的精华，最后充分地区别于欧洲的那些设计。我自己是一个很本土的香港仔，虽然很小就去了英国受训，可是香港的文化对我的影响是不可以忽略的，香港给了我很多灵感和便利性。可是香港的设计是从40年前才开始的，所以一直以来我们都明白香港的设计是什么样的？我们花了很多的时间去寻找，这个过程中没有人能够给予我们任何的指点和引导。这是一个很艰难的过程，中间我也曾经回去过英国，最后还是回来了，我曾经打算和我的好朋友在伦敦他的商店旁边开一个工作室，后来碍于某些原因成行不了。1997回归之后，很多香港设计师都觉得应该回到国外，应该放弃一些理想的计划，因为担心回归之后有些事情恐怕做不了了，但是我却惊奇地发现，1997回归之后，有一片新天地展现在了我们的面前。

作为一个香港的设计师，凭着我们以往的经验和历史背景，怎样去帮助中国，帮助中国的设计师走到国际上。坦白说，我是一个很早期就开始关注中国时装的人，广州的第一个时装秀是我举办的，北京的第一个时装周我也参与了其中。我在早期的中国时装的发展过程中，参与了很多中国政府的不同的顾问的工作，1997之后，我回到欧洲，其实后来回到中国，完全是一个很偶然的机会，我当起了一些时装组织的顾问，然后也很偶然地创造了自己的品牌，现在我的品牌的门店已经遍布了中国的很多城市，但是这对我来说不是最重要的，我最喜欢的还是顾问这个角色。如今国内的许多大型的商场都邀请我作为他们的顾问，在他们的大型商场里面设置以我名字命名的专区，帮他们规划不同专区的设置，可是我有一个要求，就是保留一个小小的区域，给那些很有才华的年轻设计师，我们不收取他们任何费用，为的就是给他们一个展现自己的机会，让更多的人来认识他们。中国是一个人口大国，很多很有才华的年轻设计师很容易就被淹没了，我是从这条路上走过来的人，我知道这里面的苦楚。因此我除了日常的工作以外，还要去给中国的年幼的设计师创造出位的机会，最近我就在策划一些正规的时装竞赛，让那些真的有天分的中国设计师，甚至香港设计师有机会走出来。我们知道，香港的时装教育，在亚洲来说，是很成功的，当然还有不足。近年来，我们看到香港很多设计师也开始在国际的赛事上崭露头角，事实上内地的很多厂家是很喜欢用一些海外的，包括香港的年轻设计力量来开拓他们的市场的，那么如何帮助这些香港，甚至海外的年轻设计师切入中国这个庞大但尚待成熟的时装工业，我想是我们致力要做的事情。

Q&A
邓达智（William Tang）

Q：你怎么进入时装这一行的？

A：我从小就喜欢画画。我中学和大学都是在加拿大读的，大学时我学的是经济。大学毕业之前，我觉得如果不做有创意的工作或许会终生遗憾。所以就决定去做具体的工作，但具体做什么还不清楚，反正纽约、巴黎和伦敦的一些学校和不同类型的设计公司我都申请了，建筑设计也好服装设计也好，而最后我选择了服装设计。因为那时大学毕业后，要自己赚学费读书，而服装设计比较轻松一些，设计完之后我可以去工作，而建筑设计师我想肯定不会有那么多的时间去工作，没有时间去赚学费。就是这样。

Q：你以前给不同国家的不同品牌做过很多设计，这种跨文化的背景体验给你的作品带来了那些影响？你入行20多年来风格是怎样演变的？

A：我不是那种最好的完美的商业时尚设计师，我完全不是。我是按自己的理想做设计的设计师。从小时侯10多岁到国外读书开始，我一直在旅行，去了很多地方。在加拿大读书时我去了欧洲，在欧洲时我去中东、非洲，在香港工作时整个东南亚、中国大陆我都去了，能去的地方都去了。现在来说，旅行影响着我整个设计工作，因为我要写书、散文，同时也做电台和电视台的节目主持人，这些和旅行有关系的。我的服装设计构思也和旅行有关系。我自己比较满意的有两个系列，一个叫游山玩水景观，另一个叫龙王地，是一种graffiti（涂鸦）。一个老人在香港的大街小巷一直涂鸦，写了几十年。现在不写了，年纪大了，出不来了，但对我们街头文化的影响很大。我就用了他写的字，编辑到我的设计中。这些设计在1997年纪念回归的一本书里，后来编辑到那一年时装周最后的时装秀中，很有争议性，但我认为那是针对香港街头的一个系列。10年过去了，香港回归10年，我再做一个集锦，名为"龙王地的回顾"。

Q：你会经常有意识地把社会上的一些东西反映到你的时装里吗？

A：会，很多。因为我感觉过去旅行见到的山山水水影响了我的设计思维，但后来，过去10年，我让自己和街头发生的风景、不同类型的人物发生一种互动。因为我最感兴趣的是那些精神有问题的不像正常人的街头流浪者。因为他们穿衣服不在乎别人怎么看，喜欢什么就穿什么，很有趣。有一年，我带领《南华早报》的一个记者去一些街区看那些人。他们给人的感觉很奇妙，他们的衣服和我们的很不一样，他们的衣服可能是从垃圾箱里捡出来的，但穿在他们身上完全是另一种感觉，我不能说漂亮不漂亮时尚不时尚，总之是发自内心的一种感觉。

Q：这就是所谓街头的流浪者？

A：真的很街头，一般的街头时尚是假的，他们才是真正的街头时尚流浪者。

Q：那你的理想是什么？

A：其实我的理想还是回到画画上，我还是很喜欢画画。设计只是一个过程，和艺术有关系，也可以让你经济独立。但过了这个阶段，我还是想回到画画上。

Q：你觉得还要多长时间才能过这个阶段？

A：最好是在明天。

北京首都博物馆：
官方设计体系

当我在中国大陆工作的那个时代，想谋杀一个博物馆馆长的最好办法就是建议和鼓励他去建造一个新的博物馆。你们可能会感到吃惊，我为什么会这样说。首先。任何博物馆馆长都梦想能建造一个新的博物馆。但是，新的博物馆的建造非常复杂，比建造一座医院复杂得多。在中国，大部分的博物馆里都是历史建筑。由于经费紧张，博物馆没有举办很多的展览。

中国大部分的博物馆馆长都是受过考古学教育的。在建造博物馆时，大部分的担心来自时间紧迫。首都博物馆的建造费时4年才完成了整座大楼的工程，占地64,000平方米。展厅占地10,000平方米，仅仅在9个月内就搜集了6000多件艺术作品。所以，你必须一天工作24小时，没有周末，没有假日。这会把人逼疯吗？多数情况下不会的话，是因为有人身控制。通常，馆长掌管财政大权，签发支票或制定预算。所以，多数情况下，当他们发现定购的作品是赝品，或者真正的作品失踪的话，他们会坐牢的，这就是基本的情况。但是，现在情况有了很大的变化，有了迅速的提高。现在我要谈的不是正式的首都博物馆规划。正如你们所知，如果我要代表官方说话的话，我必须得到北京市长的允许。所以我还没有，这只是我个人的想法。我不是一个博物馆设计方面的建筑师或者受过训练的历史学家。另外一个例子，最近，妇女和儿童协会正在讨论在北京建造一个新的博物馆，希望这个新的

严瑞源（Yim Shui Yuen）来自香港特别行政区，是中国大陆和香港博物馆领域的专家。他是建于2000年的香港遗产博物馆的前任主馆长，作为第一位主馆长，他对该馆的诞生发挥了主要的作用。退休之后，他担任北京首都博物馆的高级顾问。该馆于2005年又新建一座大楼，占地面积有6,000多平方米。保证了更多的展览空间来放置200,000多件收藏。最近，他作为政府任命的博物馆专家组的一员，他们正在考察一些未来博物馆。

博物馆能在2008年6月前竣工。当她们谈论建造这个博物馆的时候，主要是关于这个馆动工的时间。我问道，你们有什么收藏品吗？她们说，我们没有。我问道，有博物馆大楼吗？她们说，不，我们没有任何大楼。有任命的馆长吗？她们说，不，我们没有。所以，到2008年6月，你将有一个新的博物馆，那么谁将成为馆长？你们想成为馆长吗？所以，今天这个话题涵盖了以下方面，如何起草设计要求，如何组织设计竞标竞赛，如何确定设计方案，设计会造成什么样的影响？希望，你们能阅读介绍书，读一读中国北京的政治、经济、历史以及城市的发展。所以，首先，在设计这个博物馆时，他们希望在介绍北京时强调它是一个政治、文化中心，我必须强调这一点，不是任何其它的中心，而是这些中心。

第二点，它将成为现代北京的地标性建筑，旅游、休闲和文化胜地。每个人都知道北京是一个有着3000多年历史的城市，作为首都有850多年的历史。你可以看到在北京生活的人都以这座城市而骄傲，北京人有很强的历史荣誉感。所以，在这里，你可以看到丰富的文化遗产，四合院在影响着人们，我之所以这样说，是因为它们对于博物馆建造的决策起着重大的影响作用。北京是一个现代城市，有114座外国使馆，40多个城市的分支机构。这里是政治和文化的中心。因为这里是中心，所以新博物馆必须建在繁华地带。哪里是北京的繁华地带？长安街。如果你参观过长安街，你会发现这里建有中国北京一些非常重要的大楼。这里是一部分，东方新天地，新建成的国家大剧院。所以这座新博物馆必须坐落在长安街。为了建造这座博物馆，政府拨了1500万人民币的财政，相比美国和法国的博物馆而言，这不是一笔很大的数目。但是，考虑一下北京近20年来的经济发展，GDP以每年约10%的速度增长。然而，刚毕业大学生每月的收入平均只有1000-1500元人民币，即使人们手里有钱来建造一个大的宏伟的博物馆，但是，考虑到贫富差距的比率，政府必须考虑尽量节约开支。市长直接来组织设计竞标。他组建了一个评审团，由来自金融部门、建设部、北京城市计划委员会的专家组成，来对竞标进行监管和确定最后的方案。他们对此事进行了特别组织，他们称之为项目所有委员会，由馆长、北京城市计划委员会和预算小组组成，在市长办公室的领导下成立并接受它的监督。这个小组组织起草设计标准，负责招标，签订合同，更重要的是，在合同背后，还有反腐败协议。所以，组织者一方面组织竞争。另一方面，和其他设计公司一样，它有评审团和馆长。

正式来讲，这个建筑的技术性太强了。因为从技术上来讲，突出的房顶建造起来很复杂。突出的部分有40米高，如何支撑它将是一个很难解决的问题，可能要花费很多钱。当然有人说在长安街上，这个建筑看起来很奇怪。所以，这个工程要经过再次投标。为什么会有一个成为最后的胜利者。无疑，首先，我们要看材料。他们设计的墙体用的是上好的砖头，用了青铜作为金属。这个是在晚上，这个屋顶突出的形状像古代的建筑楼体的屋顶。玻璃，墙，门。为什么墙体要做成突出的形状？因为它体现了建筑是从地面上建成的。这个是大厅，非常具有实用价值。这是多媒体设备，演讲厅，展厅，美术馆，画室，这是北京，文化北京，瓷器，佛像，油画，青铜，玉器，这是博物馆长长的展览，剧院的复制品，这里会上演昆曲。这是休闲区。这里是北京的玩具，儿童抚摸瓷器，制造面具。这些事物让我们想到了什么，对我们造成了什么样的影响？在我阐述其影响之前，我要先讲一讲为什么会赢得中标？你需要非常耐心地去改变事物。有两件事给我很大的震惊。法国公司赢得了这场竞标并不是偶然的，法国是中国的战略伙伴。法国在中国赢得了众多建筑的中标，这是政治性的，不仅仅是关于艺术的。另外一点就是他们的陈述书。在他们的陈述书中，陈述人使用了充满了诗意的、非常戏剧化的语言。因为北京太充满文化气息了。如果你讲解得太专业化了，给人的感觉不够强烈，不能激起人们的兴奋感。所以，你的语言要具有诗意，也就是说，你往往得先背一首诗，像那些领导人一样，当他们讲话时，通常以诗句开头，真的是非常具有文化性的东西，陈述书给专家评审团以很深刻的印象。

北京会很好地利用这个博物馆，它既具有古老的传统，又兼具有现代气息。它比较中性，给人的感觉很温和，很多人非常喜欢。根据官方调查的统计数据，大部分人对博物馆的设计比较满意，总的来说，整个博物馆也非常的宏伟高大壮观。

在中国建造一个博物馆意味着什么？现在，我们有18世纪的博物馆，是作为满足人们的好奇心，保护藏品的一个地方，同时达到了教育目的，后博物馆时代的博物馆则承担起文化多样化的使命。在中国建造一个博物馆意味着什么呢？在我看来，中国的博物馆主要还是一个保护藏品的地方，同时，一个独特的文化现象是在中国大部分的参观者是学生，有60%的参观者是学生。博物馆向我们传达了重要的文化信息，这是非常重要的，这是健康的文化，不是腐败的文化。拥有博物馆也代表了现代城市化的深入发展。所有的城市都希望有自己的博物馆，这代表了城市化进程。

Q&A
严瑞源（Yim Shui-Yuen）

Q：博物馆作为以展览为核心的空间，对展览起着怎样的作用？设计对于展览和场馆而言，又有着怎样的意义？

A：我们倾向于从展览的主题中寻找一种当代文化的意义。设计是向观众传达文化信息的工具。没有一个能给人留下深刻印象的设计，就不能达到展览本身的目的。

Q：在你心目中，博物馆最重要的作用是什么？临时性展览应当重在体现什么？评价展览的重要标准是什么？

A：博物馆是一个利用优秀的设计向观众传达文化信息的机构。博物馆应该尽力在临时性展览中体现出创新。评价一个展览，最重要的就是看它能否吸引游客。在参观展览后，游客应该能学到新技能，新知识，甚至改变对生活的态度和价值观。

Q：为了让博物馆的特色和展览显得突出而有水准，你们会如何运作？

A：为了欣赏不同风格的设计，体验对于文化意义不同的诠释，博物馆可以聘请一些特邀馆长，整个展览的过程比如这个创意是怎样得来的，怎样对展览进行管理等等应该经过讨论或者公布出来以便分享经验。

Q：就你的经验来看，博物馆的展览在西方和在东方从运作方式到呈现方式，最大的区别体现在哪里？

A：区别主要体现在展览过程中。在西方国家，来自社区，教育工作者，设计师等不同群体的人都参与了广泛讨论。而中国的展览就更偏向于权威性。

迷恋色彩拼贴

赞德拉·罗德斯（Zandra Rhoze）是一位服装设计师，曾在60年代末在世界上掀起了一波打破旧传统束缚之风，并在70年代将伦敦推向国际时装舞台的英国新浪潮设计师之一。其独特前卫的设计、极为女性化的图案及夸张艳丽的色调，成为独特的Rhodes作品。她在伦敦成立了一所服装设计博物馆，使大众能够更加了解时装和设计。

几年前，《纽约时报》上有一篇文章，讲述了我的一些非常前卫的设计如何使大众接受，这就是其中展示的一件很前卫的设计，当然这种服装只适合一些特殊场合。1976年我几乎横跨了整个美洲，画了很多幅图，去了很多牛仔们开的商店，搜集了很多关于牛仔和美国西部的东西。

刚开始从事设计的时候，我不太清楚衣服是怎样缝合到一起的。于是，我就沿着一些圆形的图案裁剪，再看是什么效果。这件很特别的衣服上的图案就是取自大都市纽约和伦敦的维多利亚博物馆。我沿着圆形进行剪裁，再把这些剪下来的碎片拼合到一起，第一个圈是1，下一个是3，再下一个是9，这些也是完全按照印刷样本，从边上剪裁下来的，每个圈都相切地连接在一起。做这些的时候我感到很兴奋，因为这是一个实验性的做法，我把这些设计带到了纽约，在那里我的事业有了全新的开始，我的设计在那里得到了很高的评价，卷起了一阵热风。这是1969年美国的一种流行设计，大家可以看出来在这个设计中我是如何利用印染的手法来进行工作的，我把这些东西的中心部分连接起来，从而完成这件衣服的制作。这是我设计的一种黄色系的服装，我设计了很多套这种服装。15年前，我还没有成立那家博物馆的时候，我对一家公司进行了起诉，因为保险公司没有对洪水所给我带来的损失进行赔偿，他们说我的服装没有任何价值。然后我去了洛杉矶的县博物馆，他们说他们花了8000美金买了这些衣服，但我当时没有钱将这些衣服买回来放在我的博物馆里。这件衣服的图案是一片黄色的田地，底色是红色和黑色，衣服的上面是一些蕾丝。这件用了一些螺旋的贝壳形状的设计。大家知道我之前运用很多圆圈的设计，后来我决定多采用一些螺旋的形状，我试着剪下一些螺旋形状的图案，它们看起来很华丽。后来，我把它们用在了另一件设计上。在每件衣服上我都采用了三种颜色的设计。这件衣服是带有番茄花图案的设计，同样我还是用印染的方法来进行设计，这边是衣服的背面。下面的设计是1973年的作品，我在光滑的绸缎上采用了三种颜色的设计。

在我作作品展的时候，我通常要求我的员工能从不同的角度来看我的作品，并在展览期间作讲解，因为我个人在设计的时候太过投入，很难去解释一些东西，他们说我们应该多谈谈我是如何运用色彩的。作为一名服装布料设计师，我在工作的时候所用的布料通常都是已经染印好的，比如这块红色的绸缎被染上了黑色，其中红色的部分是用颜料涂上去的，因此我用不同的颜色来进行搭配，比如黄色，我可以通过印染将它变得不同，而并不需要总是在白色的底上开始设计，因此我经常在我的工作室里用不同的颜色进行创作，将它们涂在不同的布料上，观察其效果。

1981年我去了印度的第一次服装庆典活动，在那里与很多人一起工

作，同时也搜集到了很多东西，这件很特别的设计叫做"道歉服"，同样它采用了亮丽的颜色，栗色和红色。同样款式的还有黄色的。在印度我搜集到了很多关于道歉的东西，在这块绸缎上我作了些刺绣。另一方面我也用了很多样本，不同的季节我会倾向于采用不同的主打颜色，如果我采用了乳黄色，我就会将很多不同的颜色在乳黄色的基础上进行搭配，这会让不同的颜色拥有更多的层次和变化，各种颜色也有了不同的变化，和以前几个季节的颜色有所不同。

我经常尝试不同的创作手法，1970年和1971年，我去了美国，看到了很多北美的印第安人制作的奇特的服装和很漂亮的帽子，同时，我又去了维多利亚博物馆，看到了一些用撕扯的手法制作的一些很不寻常的夹克，大家要知道那个时候这是很不寻常的，我也进行了设计，并用撕扯的手法，正如大家所看到的这件衣服从外观看起来就是一片一片拼凑起来的。我们现在可看到很多由零碎的图案所拼凑出来的布料样式，但在1970和1971年那个时候这是很不寻常的。当时并不像现在这样，有很多很出色的服装、布料、牛仔等，但在那个特殊的年代却没有类似的东西。毋庸置疑，这种款式的设计卖的并不是很好，但我个人却非常喜欢。大家可以看这件服装上到处是开口和碎片，完全是由这些元素组成的。同样，我沿着设计的边缘剪出服装的轮廓，这是北美印第安人的形状和英国伊丽莎白时期的色彩组合而成的，这个图案在当时的英国曾经很流行。

大约在1977年，我突然觉得大家可能已经厌倦了我的这种印刷式的设计，所以我想在上面剪出一些洞，这是受到一幅花的图片影响的，图片上花瓣都是用撕下来的碎片贴在上面的，我在洞的周围缝上了珠子，然后我在工作室里转了一圈后决定就用这这种手法做装饰吧。

20世纪90年代初，尽管当时我在世界各地做了很多不同的发布会，但我想人们大概没有非常留意我的作品，它们还是比较关于我的那些前卫的想法。这使我收起了我早期的约3000幅作品，足足有50个箱子那么多。我想英国的时尚界是很重要的，这使我下决心建立了时尚博物馆，我卖掉了房子，买了个大仓库，并请了一位墨西哥出色的建筑师，同时也是一位色彩大师，Ricarder Liseriter，帮我在伦敦桥附近建一座博物馆。

2005年春天，我在伦敦举行了首次发布会，之前我曾经在莫斯科和中国大连举办过。事实上那次发布会上的一些服装在我们这儿的展览上也有，那模特在台上展示的服装就是我最近的一些设计。我仍然非常依赖染印的手法和布料的质地，我还是在服装上做了一些变动，使他们看起来大不相同，很有现代感，但还是沿着染印的图案进行剪裁。大家可以看到，如果我采用了红色作底色，在上面印上粉色或是紫色，那看起来就很不一样了，或是黄色的底上涂上黑色或粉色，效果也很不同。我又开始重新设计很多年前的褶皱的夹克衫，我还做了一些皮草的设计，在纽约之外的其他地方我搜集到了很多皮毛。

Q&A
赞德拉·罗德斯（Zandra Rhodes）

Q：时尚"摇摆的60年代"(swinging 60's)和朋克一族风靡的70年代(punk 70's)，对你来说有着怎样的意义？

A：噢，我被人们看作是"朋克公主"，因为在1977年，我设计了一种疯狂的装束。或许你可以说我在60年代迷你裙风靡之时就已经开始被看作朋克了，那时候迷你裙确实有革命性的意义。那时还有"披头四"和"滚石"，能成为他们中的一部分是非常棒的。是那些音乐伴随着我所有的一切。在那种氛围中，我把黑发染成了绿色。

Q：你的创作常以震撼的图案，强烈的女性主义样式和戏剧化的色彩为特征，是什么影响了你的设计风格？

A：我认为创造色彩是件非常快乐的事。要知道，当穿着很快乐的色彩时，你就会感到快乐。真的能产生这种效果。

Q：听说你常常从简单的事物和自然中寻找灵感。

A：并不总是那样。比如说，昨晚，就在这儿——香港，睡觉之前我想我一定要把窗外的高楼大厦画下来，那种景致真的让人振奋。我努力做的就是让自己受到所到之处的事物的感染、让自己感觉振奋。去感受是什么使那个地方别具魅力，是什么让我为之振奋。试着从中找到设计的灵感，并由此牵出许多其他设计因素，去模拟所在的那个地方、模拟那里的人们的喜好。我就是这样工作的。

Q：你在1969年有了自己的品牌，这些年，你的设计理念是如何变化的？

A：在20世纪60年代早期，我的设计是放纵的，有种轻浮的感觉；然后是有脂粉气的男装时代；之后，是另一个有着巅峰的阶段，而后就很平常了。设计是采用了我的模式，但那些设计也符合市场之外的其他状况和变化。

Q：为大众设计和为富人或者皇室贵族设计有什么不同？

A：不是一定要有什么不同，但是如果你是一个有创意的设计师，很可能一开始你的设计就是很昂贵的，因为你要给出新颖的设计，不仅仅是要去适应大众的需求。但我的确设计一些价格便宜得多的服装，我也给top shop设计过服装。我一直在找那些愿意出售我所设计的一些价格便宜的服装的人，这样我就可以接触到大众，我喜欢这样做。

Q：你怎样看"时尚俘虏"？

A：我有时认为，如果想要成为"时尚俘虏"，你得有勇气还得有足够的时间。如果你有勇气的话，人们会说："噢，你是一个俘虏，一个受害者"，而事实上你却让自己神采飞扬、与众不同，从这个意义上讲，"时尚俘虏"这种说法有些过分。

Q：你怎么看东方的审美艺术？

A：我们在经历着一段非常有趣的时期，在这个时期没有那么多关于东方与西方的区分定义。我是指，中国以香港作为其门户，为西方承担了很多制造生产这部分工作。我想在中国自身也为西方产业做出贡献时，没有在必要这一过程中看起来东方化。同样，日本已经有着绝佳的设计理念并因此进入了这一领域的前沿。但他们的设计看起来不像西方的，也不像亚洲日本的，而是属于现代世界的。

Q：你建立时尚纺织品博物馆的目的是什么？

A：目的就是让人们对纺织品、时装有全面的认识。我刚和来自英国文化协会（British Council）的一位女士谈过，英国的设计是非常出色并独具创新的。人们有时并没有意识到来自英国的人们被封存在世界其他地方，但这并不意味着人们就不知道在巴黎2/3的设计师是英国人，他们只是在幕后工作。比如说Christian Dior的设计师多数是英国人，还有Vallentino的设计师有许多也是英国人。所以，某些品牌并不总是叫这个名字的设计师设计的。

Q：你怎样看当前英国的时尚设计教育？

A：在英国的时尚设计和纺织品设计教育是非常优秀的，我们有一流的大学，我见到来自世界各地的许多人在此接受时尚教育。我不认为英国政府会对服装设计和纺织品设计教育课程的优劣抱有多大兴趣，但另一方面，这些大学必须是好的，尽管政府是这样一种态度，而且我认为这些大学仍是最棒的。

发展出来的设计

张永和教授是美国麻省理工学院建筑学系的教授兼系主任，同时，他也是负有盛名的建筑设计师。在中国，他担任北京大学建筑系的系主任，并兼任该校建筑系研究生中心的主任。

我不确定我把"发展"这个词翻译成英文的develop是不是准确。在当代汉语里，发展这个词是邓小平提出的。25年前，邓小平同志在视察深圳的时候提出了"发展是硬道理"。我希望这句话我这样翻译能够为大家所接受。虽然我们现在的时代已经出现了设计业，我在这里所要讲的跟经济发展并没有关系，我想谈的是设计的发展过程。

就设计的发展这个话题，我要谈的第一个设计过程是理念与设计。如果你对设计有所了解的话，你应该知道，设计的过程通常分为三个阶段。第一个阶段是理念设计，第二个阶段是设计发展，第三个阶段是制作建筑设计书面文件。首先，我要说一个自行车的理念。我在北京出生，在北京长大，在我的学生时代，我对自行车这种交通工具非常熟悉。来到美国后，我对自行车仍旧很感兴趣，我还自己动手制作过。后来，我把自行车的理念运用到了一家书店的设计上，各位在屏幕上可以看到。在进行学生设计时，有很多同学让我惊叹不已，他们能把城市里一些常见事物的理念创新性地运用到其他地方。于是，我也画了很多图纸，试图找到骑自行车和日常生活共同点，比如说造一个房子，人们可以在里面居住，又可以在里面骑自行车。这些是1982年的事情。后来，我们接到一家书店的设计任务，那是我们开始在北京从事建筑设计后接手的第一个项目。考虑到这个书店里的空间条件，我们设计了几套带自行车轮子的书架，这些书架被称为"图书自行车"。这些书架能够围绕柱子旋转，从一楼运动到二楼。我认为这一细节是我的设计团队所做的项目中最好的，因为我们不用去对这些轮子进行设计，我们都是买的现成的。那是我用了很多年的时间发展出来的一个创意。

另一个创意是hinge space的理念。在美国大学的建筑系教育中，我发现了这样一个问题：在如何想出新创意方面，老师教了很多东西，学生也学了很多东西，但是学生不知道怎样将这些好的创意最终真正运用到建筑上去。就我个人而言，我很幸运地接受了这种理念方面的教育，而且我后来有机会把一些创意付诸实践。我可以告诉大家，现在，我并没有承担任何建筑任务，我一心从事教学工作，我致力于对管子上的塑料浮雕等进行研究。我想我过的是典型的美国学术界人士的生活，我经常读一些法国哲学家的著作，读福柯等人的作品。

在多年的时间里，我还发展了另一个我感兴趣的创意，那就是关于画框的构思。我们在许多博物馆的设计上，应用了这一构思。这个构思也是我很早以前想出的，大约是1984年-1988年，我当时在旧金山工作，我工作的地方离红灯区很近。我不知道香港现在是不是也有这样的地方，旧金山以前是有红灯区的。所以，我有机会看到一些现场真人秀，还把很多当时看到的画面画了下来。我在我办公室的大厅能够看到真人秀演出。在那里的剧场，观众需要把硬币投入一台机器中，然后一扇小窗口

会打开，就能观看演出了。这样的一扇小窗口就像一个画框，给我留下了很深的印象，成为我建筑设计中一个非常重要的创意。

然后是一个更大的创意，因为与它相关的是更大的概念——城市。这个创意最早被运用到建筑设计上是在1986年。后来，2004年，我们也完成了另一个与该创意相关的建筑设计。我所感兴趣的是，怎样让一栋建筑成为一个城市体系，我会问这样一个问题：一栋建筑能不能具备一些城市的特征？这样的话，建筑就成为了一个缩小版的城市。这样的创意也是我在多年以前想出来的，我开始考虑以上的几个问题，开始思考如何把这样的创意应用到建筑上。

就我们的实践来说，建筑设计要经历几个步骤和阶段。在中国，一般来说，某个建筑设计项目都会有一个时间限制，就每个项目而言，我们的设计时间都是很有限的。有很多创意和理念，是我们完成许多个设计项目的过程中，一步一步形成和发展的。

Q&A
张永和（Zhang Yong Ho）

Q：在你眼中，中国城市在建设方面有了怎样的发展？

A：对这个问题我有过一些观察。我确实看到新的城市正在建设之中，这种建设完全服务于经济发展的需要。但是相比较而言，人们在这个城市如何生活，如何获得身心的快乐却不在首要考虑的问题之列。所以，最终我们确实建设了许多崭新的城市，但它们在居住的舒适感和方便性上比不上老城，而且远不如后者。我认为这是一个很大的问题。尽管现在有些城市，比如，深圳正在考虑如何将城市建设得更适于人居住。但是目前这种首先服务于经济发展而不是居住的发展思路还是很普遍。

Q：你批评现今一些城市建设的做法，希望由此引发的城市建设和思考是什么？

A：为什么我会批评今天这种建设城市的做法，那是因为我相信人们不用以牺牲居住性为代价来换取经济的发展。两者可以兼得。很多事情，包括其他一些比较敏感的问题都是有关于保存历史建筑的问题。一个比较新的看法认为对历史遗迹的保护妨碍了经济发展。我认为，比如像上海新天地那样的项目，事实上人们发现某种程度对历史的保护实际上能够起到刺激经济发展的作用。建筑确实构成了经济发展的一个部分，因为它构成了一个城市的面貌。但是我们并不是城市的主要决策人。所以很重要的一件事，也是你提到的，对我而言就是：我之所以要抽时间来做这样的交流是因为我相信，通过你们，我对建筑的看法或许能影响到那些决策者。还有一件事，我自己设计了很多建筑，通过它们来服务这个社会。我也通过教学来达到这个目的。

Q：什么是推动建筑设计业不断创新的力量？什么又是限制了它？

A：这是个很复杂的问题。说到创造性，我不知道是否真的有这样一种力量。我们接触的是一个国际化的环境，这给我们带来很多灵感。但是从另外一个角度说，也可能带来一些问题。但是作为一个美国设计师，我们没有时间来思索一个中国设计师应该如何做。所以现在有很多非常有才华的中国设计师，他们受到了过多西方的影响。回到你的第一个问题，你看到正在建设的一些建筑是什么样子，也知道人们正在讨论什么样的问题，但是要知道这些东西本来是可以做得更为保守一些的。阻碍也有很多。中国设计师的设计数量是欧洲设计师的上千倍。问题是，前者的质量并不是后者的上千倍，甚至跟日本相比都还有距离。我们必须解决这个问题。我想今天与会的设计师都认同这一点，一个年轻设计师在起步阶段应该注意他承接的建筑的大小，关注设计质量。要知道，这是一个欧洲年轻设计师很可能想都不敢想的事情。目前，总的来说，我认为中国建筑设计师不应过于乐观，除非我们能够提高设计质量，能够设定我们自己的设计日程。

Q：你在美国学校推行的教育模式和方法是什么？这些对中国有没有一些借鉴的意义？

A：我考虑问题的思路恰恰相反。我在中国教了五年书，我把在中国的经验带到了美国。在美国就像在中国一样，建筑学校并不教授学生如何盖房子，学校跟他们讲哲学、讲理论、讲文化，但是学生并不知道怎样盖好一栋房子；不知道怎样以一个建筑设计师的身份融入到这个社会中去。在麻省理工，我觉得我们应该做一些与建筑直接相关的事情，所以我们就直接将城市化的有关内容引入课堂。我不敢说我们能够彻底改变这种状况，但至少我们可以试一试。在中国，归根到底和美国的问题是一样的。一方面学术与实践脱节，另一方面学术界做的研究太少，并且意义不大。对于这个行业来说，有意思的是，实际操作者比学术界的贡献更大。我想美国和中国建筑业都应该听听我的意见。

中国工业设计的现状和困惑

谈中国的工业设计,只谈设计我觉得是很困难的。这是很重要的,就是说,因为设计在中国受很大的经济、文化背景和一些政府职能部门的一些影响。现在的中国的工业设计的情况大概简单的一些基本的情况我可以从四个方面来谈一下。

第一个就是工业设计在中国大概有20年的发展历史,已经形成了一个相当的规模,体现在几个方面,第一个就是高等院校开设工业设计课程数量,以及每年培养的学生数量非常多,据说将近两万的学生每年从各个高校毕业,可能有400所高校拥有工业设计系。第二个就是工业设计在企业中已经开始非常普及,制造业都认识到,必须要运用工业设计来改进企业经营生产的模式,所以各个大的企业,像海尔、Lenovo、或者是长虹等等都设立了自己的设计中心。中型的企业大多数都选择一些设计咨询公司作为一些战略性的合作伙伴。小型企业当然他们是以项目合作方式。第三个方面就是专业公司的数量非常多,据说在深圳一个城市注册与非注册的设计公司一共有大概600多家。最后一个方面就是外界的媒体以及整个社会对设计的关注。这个是目前中国的一些基本的情况。

其实有很多令人失望的问题存在,我想最关键的是两个问题,第一个是对设计价值的定位,第二个就是设计品质。其实我觉得可能中国目前面临的一个最大的问题是对设计的信心,我们正在逐步的缺少一些耐心或

周佚是指南设计(S.point)公司的总经理和创始人。S.point公司是成立于上海的首批帮助国内外企业实现优秀设计包装的独立设计咨询公司之一。

者失去一些对设计的信心。我们很难找到自己的一个模式，找到最最适合中国目前工业状况的工业设计的模式，存在着有很多困惑的问题，比如说，涉及到底用来干什么，如何评估设计，设计是营销的手段呢还是作为一种外形设计的一种模式。那什么是好的设计？是指好看的设计或者加工品质高的设计，或者是什么。我觉得很难让我们的西方设计者来给我们这个答案，需要我们自己去找。

S.point 在上海将近10年了，差不多是上海第一家注册的工业设计公司，我从接触工业设计到现在已经有20年的时间，在国内的设计咨询公司当中，它有一定的特殊性，因为不能完全代表国内顾问公司的普遍现象，因为S.point 走所谓国际化的道路已经有相当长的一段时间。我们大概有30名员工，其中有20%的员工来自于各个国家，我们70%的项目是为海外客户服务。我们主要工作的内容分三个部分。

第一个就是设计研究，设计研究部门是专为了客户提供不同需求的设计服务，目前的客户群还是以海外客户为主的，这些客户中有意思的是北美或者欧洲的客户，他们表现出对比亚洲地区让我们做设计的信心更强一些，欧洲和北美的一些客户的品牌意识或者是品牌自信心非常高。但是我们合作过很多来自于韩国和日本的客户，比如三星、或者是松下、NEC这些客户，他们比较关注是"为中国而设计"这一块，所以S.point的主要的设计工作是从设计角度来帮助企业中心，海外的企业设计中心准确了解市场，但是有个很有意思的现象是，所有的设计中心都会问S.point 的一个问题，希望有一个非常简单清晰的答案告诉他们，什么样的产品是适合中国市场的，但其实是非常的困难来做这个结论。因为中国地域很大，文化差异非常大，收入的状况差别也非常大，很难有一

个简单的结论。所以我经常劝设计中心的一些头头们，我们做所有的设计必须是分区、分时、分人的模式来做市场调查。而不能简单从一个方面去说中国的设计，这是有问题的。

第二个就是我们的很多海外客户会在中国生产，所以作为设计咨询公司，我们有这样的一个需求，或者说是市场为我们的客户来做一些产业化的支持。但是对很多产业化的运作跟服务当中，我们发现很多客户其实对中国的生产制造缺少一定的信心，这种信心是因为他对整个生产资源的情况的不了解，而且确实是这样，国内的一些制造商，对设计的理解是停留在"我只是加工"，没有一种对设计的理解或者是一个设计质量控制的模式，所以基本上我们国内的生产商可以分成三个大类。一个就是具有国际操作经验，海外背景，或者是以台资、港资背景，以日资背景的一些合资企业为主，他们与国际知名品牌代工为主，由于订单较满，他们不太愿意为中小型客户来做服务的。第二就是有一定的加工能力，但是缺少国际经验，对设计的理解和控制能力是比较差的。第三就是单独以零件服务的。所以在中国选择供应商来执行他们的设计，必须关注两点，一是一定要参与到整个项目的过程，你不能说给与外部资源支持，我们就完工了。二是好的供应商是不便宜的。不要永远认为中国的制造永远是便宜的。

其实设计顾问很难赚钱，只收设计费很难赚钱。我们也看到做产业的设计顾问是一个比较好的延伸空间。随着中国的经济发展，中国其实在劳动力成本上已经慢慢失去优势了，这些优势正在向越南、印度这些国家转移，但是在知识人力资源这一块，特别是在工业设计与结构设计方面，中国仍保持着很大的优势。我也跟来自于墨西哥，来自于印度等一些国家的设计师进行过交流，那么他们对整个工业设计目前的现状的认同度，他们觉得会比这些国家相对要高一些，当然这些优势表现为第一个就是设计人力资源非常丰富，每年都会有大量的学生毕业，许多OEM公司他本身也建立了自己的设计中心。第二就是，我觉得亚洲人对外形比较敏感。第三个就是说亚洲的人力资源在设计技能方面比较好，特别是计算机领域。但是在这些设计服务的过程当中，我觉得这些优势并没有发挥出来，因为尤其是基础资源的专业程度不高，缺少有效的管理和一定的专业培训，缺少国际观，缺少和国际客户打交道的经验，但我想只要把握准确的方法，中国设计人力资源的开发是一个非常有前途的行业。

我们正在配合中国国家发展改革委员会制定相关的法律，其中涉及到关于设计服务业的外包，出台相关的政策，来帮助中国设计服务业走向国际市场。这里我想到一个案例，Frook是做测试产品的公司，在西雅图的一个很大企业，我们合作大概有三年多的过程，我觉得就是在合作的过程当中，其中一个非常重要的问题就是说这些海外的企业要跟他们开始合作，他们非常关注的就是说他们能不能信任你，这种信任包括很多，一个是对设计理解的价值观，第二包括能力，保密的能力，沟通的方式，操作的透明度，他们都非常的关心。我们觉得有个比较好的模式是一旦海外的客户选择你作为他的合作伙伴的话，他往往是采取一种比较长期的一种合作方式。当然他们这种长期模式，除了服务费用有成本优势以外，客户也非常看重与生产基地靠近的优势，以便更好地跟踪设计的后期。所以在设计服务上，我觉得中国的顾问公司有几大优势。第一个就是要达到国际标准的设计；第二个就是要对亚洲市场的了解；第三个要合适的收费标准。还有一个他们比较关注的就是有效的时间控制。

我们没有过去，现在也非常痛苦，但我们有的是未来。我想未来我们的就是工业设计的发展，我觉得四个方面是我们非常有机会的，第一个刚才讲的就是关于设计人力资源的一些开发。第二个就是如何去充分利用中国的现在的生产资源，有效地把工业设计和目前的中国制造业的资源结合起来。第三个就是如何去帮助中国的这些制造业转变成一些品牌性企业。第四个就是可以探索一下建立自己的一些设计品牌。

最后我想回到的一个原点就是反省。如果我们现在对我们中国人设计事业一个尴尬的境地就是说如果如能传承历史，又不能创造未来，那你能做什么。这个确实是我们目前所有中国设计的人应该思考的问题，也许我们太急功近利去做设计了，我们忘了去思考为什么做设计。浮躁、急功近利的心态使我们将设计作为一种达到目的的手段，而没有做好设计的基础建设。比如说，观念培养、队伍建设和机制建立等。我的建议是，如果你想通过设计咨询公司挣钱，在近三年内不要考虑在中国设立事务所。这不是因为我们害怕竞争者，仅仅是因为这是现实，S.point的中国客户只占全部客户的30%，他的主要客户来自美国。但是我认为大概3到5年以后，中国客户，他们有着将他们的品牌推广到世界的雄心，在那个时候你们可能就会有机会。

我们有一个特别的词来描述中国的消费者，我们称之为"蝴蝶"。他们从来不会只对某一种品牌或者产品感兴趣，他们总会尝试做不同的事情，这在中国很普遍。中国的许多消费者都是非常年轻的人，他们很容易转变他们的消费方向。从这一点上讲，我们称之为"蝴蝶情绪"。

聚焦香港文化看点

东西方文化融合的港口

香港的面积有1098平方公里，人口却有681.6万人，人口密度达到了每平方公里6300人，是世界上人口密度最高的地区之一。由于历史原因，这里融合了东西方的现代文化和生活方式，无论你来自世界何地，香港都不会是一个过于陌生的地方。观察香港人的生活：从饮食，居住，到衣着，你都会发现既熟悉又陌生的东西。也正是这种融合形成了香港吸引世界商人，游客前往的重要原因。

从香港制造到香港创造

香港的制造业在60年代高速发展。当时的产品包括珠宝，塑胶产品，搪瓷用品，地毯，服装玩具等，工厂遍布荃湾，观塘等地。香港工业的崛起除了内部因素外也得益于欧美生产外移。凭借地理优势，制度管理，技术和劳动力成为了欧美国家生产外移的主要目的地之一，从而加速了香港本土工业的发展，而很多香港商家除了致力于本土生产外，也开始积极拓展海外市场。当香港制造在世界占据稳定地位后，其他包括金融，贸易和创意等产业也迅速发展，今天的香港产品经过品牌与设计的过滤后附加值大大提高，而生产业也逐渐从香港转移到了广东和中国其他地区。

特色底商和穿插在住宅区的店铺

在这座繁华的城市中最直接的体验是高频率和快速的生活方式。由于地域面积的限制，人们会抓住任何一个可能发掘商机的地方。所以在城市中心你是很难找到住在一楼的住户的，基本上所有临街的底层都被开发

成了店铺。近两年由于底商开发饱和，许多像咖啡屋、书店等特色店铺开设在二层甚至更高的居民楼层内，形成了有一种特色的经营方式。香港这个购物天堂也是需要人们认真地去研究和发掘的。

乘"叮叮"逛特色街道

香港的电车系统于1903年开始建造，经过反复测试，于1904年7月30日启用。由于独特的铃铛声，香港人亲切的称它为"叮叮"。"叮叮"是香港迄今为止历史最悠久，价格最便宜的公共交通工具，从东至西贯穿香港岛，乘坐一次只需要港币2元。

乘"叮叮"自西向东景点：

上环：上环聚集着很多特色街道，吸引着大量的香港本地居民和外地游客。药材街，海味街，参茸燕窝街，古董街西港城，都是有价值的香港人文看点。

中环：中环聚集了许多高档酒店，商场和消费场所，包括著名的阑桂坊酒吧。但中环有特色的街道是石板街，街道两边除了传统的蔬菜水果摊，杂货摊，大排挡，也有高档餐厅，艺术廊。整条街巷形成了独有的传统与现代相结合的景象。

金钟：金钟是香港高层建筑最为集中的地方，著名的地标性建筑中银大厦就坐落于此。

湾仔是购物者的天堂，这里集中了购物，餐饮，娱乐，酒店等等各种设施，也是香港最为繁华的地区。著名的跑马地和赛马博物馆，展览中心都位于这两个区周边。著名的维多利亚公园则位于天后站，在喧闹的城市中绝对是个闹中取静的地方。

香港牛棚艺术村

香港牛棚艺术村的前身是土瓜湾牛只检疫站，于1992年停止使用。2002年在香港艺术发展局的资助下，原驻扎在北角的一群艺术工作者和艺术团体迁入，成立工作室、画廊、艺术办公室。如今，牛棚已经成为香港地图的一个另类地标，一方面带上了很多政府和文化的社群写照；另一方面建筑的古朴外形、古旧的身份更加令它充满了另类色彩。"牛棚"建于上个世纪，是香港第三级历史保护建筑。在这里一间四五十平方米的房间的租金大约在5000元港币，这对于寸土寸金的香港来说这样低廉的价格是相当难得的。

火炭工业大厦中的艺术区

随着香港工业北移，自2000年开始，有不少艺术家以廉价的租金纷纷在工厂大厦设立工作室。在火炭工业区便有超过70位艺术家租用20个单位作为工作室，分别从事绘画、雕塑、混合媒体、版画、摄影、数码媒体或其他创意工作。他们中间有资深的艺术家，也有刚刚从学校毕业的年轻艺术工作者。

回味设计游

金粤潮代位于铜锣湾,是间只有45个座位的细小餐室,卖的是当代中国菜式。在2000平方尺的窄长空间中,设计师在墙上放上长条形的设计图片和菜式影像,加深了长和深邃的含义。紫色油漆与灰色水泥,暖色吊灯与蓝色的隐蔽灯槽,设计师将传统阴阳概念重新诠释,创造出传统但极富现代感的用膳经历。

地址:铜锣湾景隆街30号地下

在"达摩",坐在真皮沙发上喝杯清酒,我们可以在融合着工业化设计和怀旧风格的餐厅中,找寻日式的精神与文化。在山葵,你可以根据当天的心情和时间,游历无数饮食与社交的旅程。达摩与山葵的设计出自AQUA餐厅集团,其设计风格简约时尚,弥漫着大都会的气息,为香港饮食文化开拓一个新的地带。

达摩地址:中环荷里活道49号

山葵地址:铜锣湾时代广场食通天13楼1301号店

达摩与山葵网址:www.aqua.com.hk

Eclipse管理公司专门在亚洲发展和管理概念式招待场所。其名下的Boca,是传统西班牙"塔巴斯"吧的现代演绎,震撼性的色彩传达了巴塞隆纳的现代艺术及建筑风格。而Café Siam则充满了泰式设计的清新简朴,整个餐厅弥漫着一种有格调但又很友善的气氛,是感受真正泰北食品及风情的好去处。

Boca地址:中环苏豪卑利街85号地下

网址:www.boca.com.hk

Café Siam地址:中环摆花街40至42号地下

网址:www.cafesiam.com.hk

←

ＧＯＤ的名字来源于三个字母讲起来像广东话"住好的"的发声。ＧＯＤ的设计团队力求把它打造成融合古老东方传统及现代生活需要的香港品牌。

ＧＯＤ的货品重功能并带有一丝香港情怀，他们将红双喜概念设计渗入到任何与用餐有关的产品设计中，突出传统与现代需要的融合。逛逛ＧＯＤ是个感受香港风情的好机会。

地址：铜锣湾霎东街礼顿中心

地址：中环荷里活道48号

网址：www.god.com.hk

←

一提起瓷器，人们会联想到印有中国传统文化的陶瓷碗碟，或是晚宴上的名贵瓷器餐具，然而，香港的瓷器，可以说是这两种印象结合的产物。例如这家国际知名品牌——上海滩，就是一家擅长将传统中国设计与现代元素相互融合的店铺。店铺所售卖的瓷器是游离于古老文化与时尚生活之间的有艺术气质的家品。

地址：中环华打街12号华打行

网址：www.shanghaitan.com

←

陈意齐是一家有78年历史传统的风味小吃店。陈意齐对传统的执著与重视，由手制美食到家传秘方以至包装都始终如一，为其作为传统中国风味小吃店的品牌形象添色不少。陈意齐的产品包装追求实用而非美感，反映了其成立78年的历史传统，勾起了人们对旧香港昔日的回忆。

地址：上环皇后大道中194号

网址：www.chanyeejai.com.hk

←

Homeless 是亚洲一家最年轻前卫的生活时尚概念店。为了满足顾客需要，Homeless专门寻找家里欠缺的配件。逛Homeless，您总会发现许多"家中所无"（home--less）的产品，想把他们统统带回家。Homeless的产品体现了设计师们对生活的细致观察。逛逛Homeless，把一份生活的关怀与温暖带回家吧。

地址：中环歌赋街29及31号地下

网址：www.homelessconcept.com

←

大快活是一间标榜以适宜价格，在现代化、清洁又舒适的环境中提供优质中西食品的连锁快餐店。在2003年，大快活进行了品牌革新，从新的标识中感知到的人喜气愉悦的心情十分切合大快活快餐店所营造的气氛。随着传媒的推广宣传，大快活的新形象再度火爆餐饮业。

地址：铜锣湾恩平道44至48号恩平中心1\2楼全层
　　　湾仔骆克道138号中国海外大厦1字楼D1铺
　　　金钟夏悫道18号海富中心2期地下D铺及部分B铺
　　　中环皇后大道中368号伟利商场2字楼203号铺
　　　上环永乐街93至103号福树商业大厦地下

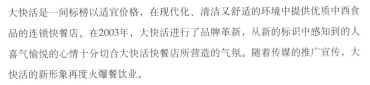

←

湾仔街市于1937年建成，反映了浓厚的英国及国际建筑的风格。其设计理念受到30年代远洋轮、飞机及火车设计的影响，有一种标榜"现代流线型"的风格。湾仔街市是个活生生的历史地标，看地面那层色彩夺目的蔬果档，就仿佛重访香港昔日最先进的"现代"室内市场。

地址：湾仔皇后大道东（石水渠街对面）

←

中环街市被视为香港唯一保留下来的德国包豪斯式建筑。这座建筑物内部设计极具弹性。简单的外墙设计加上条状窗户，使建筑物的内部光线及通风设计更加理想，反映了包豪斯外形随功能而建的建筑风格。中环街市也很有可能会因为其独特仅存的包豪斯式建筑风格被作为古迹保留。

地址：中环租卑利街80号

中环德辅道中80号 (可循任何一条街前往街市)

←

西港城见证了香港殖民地早期市民的日常生活面貌。这个文化地标是典型的爱德华式建筑，是当时香港主要的食品市场。整个传统的建筑物，在经历了近百年的洗礼后，又被注入了新的活力和节奏，现在已经成为重要的传统行业，艺术及手工艺的中心。 地址：上环德辅道中323号

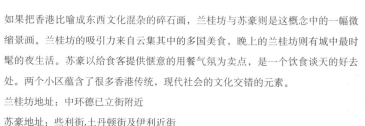

←

如果把香港比喻成东西文化混杂的碎石画，兰桂坊与苏豪则是这概念中的一幅微缩景画。兰桂坊的吸引力来自云集其中的多国美食，晚上的兰桂坊则有城中最时髦的夜生活。苏豪以给食客提供惬意的用餐气氛为卖点，是一个饮食谈天的好去处。两个小区蕴含了很多香港传统，现代社会的文化交错的元素。

兰桂坊地址：中环德已立街附近

苏豪地址：些利街,土丹顿街及伊利近街

←

香港多年来发展了多条食品街，有些是刻意设计的，例如铜锣湾；而有些是自然演化的，如上环的海味街。这些街道逐渐成了市区社会文化生活的一部分，是香港传统文化与时尚气息交融的缩影。这些食品街声色香味俱全，活动频繁，可以激发更多的设计灵感。如：大排挡街——有最怀旧的传统食品的路边店。

铜锣湾街——特别为膳食而设计的室内食街

西区的食品街——以多条不同的专门食品街而闻名。